LE CHEF-D'ŒUVRE INCONNU

Dans la même collection :

LES CLASSIQUES D'AUJOURD'HUI

HONORÉ DE BALZAC

Le Chef-d'œuvre inconnu

suivi de

La Leçon de violon
par d'E.T.A. Hoffmann

Présentation et notes de
Maurice Bruézière

LE LIVRE DE POCHE

Balzac âgé de vingt-cinq ans.

PRÉSENTATION

Un récit bien vivant

Malgré tous les commentaires dont on l'a surchargé, *Le Chef-d'œuvre inconnu* se présente avant tout comme un *récit* d'une lecture attrayante, sinon captivante.

Premier motif de curiosité : le titre, mystérieux, énigmatique. Quel peut bien être ce « chef-d'œuvre » qui aurait échappé à l'admiration de la postérité ?

Autre sujet d'intérêt : la couleur *locale et historique*, un peu dans la manière des romans de Walter Scott. L'action se passe à Paris, un Paris qui n'a pas totalement changé, mais tout de même assez différent de celui que nous connaissons aujourd'hui. Au début, elle nous conduit rue des Grands-Augustins, à deux pas de la Seine, là où le peintre Franz Porbus a son atelier. Puis, nous accompagnons les personnages chez l'un d'entre eux, Maître Frenhofer, qui loge en « une belle maison de bois, située près du pont Saint-Michel ». Un peu plus tard, nous suivons le jeune Nicolas Poussin dans la soupente qu'il partage, « rue de la Harpe », avec une jeune et jolie maîtresse. Escalier « à vis », « heurtoir grotesque », « dressoir chargé de vaisselles curieuses », « rideaux de brocart d'or », « encadrements de croisée », « arabesques », « sombres boiseries de chêne », « toiture en colombage » : l'écrivain réunit tous les ingrédients propres à ressusciter le Paris de l'époque, ses rues, ses maisons, leur ameublement. Sans oublier pour autant les détails d'histoire destinés à nous faire savoir que nous sommes au début du XVIIᵉ siècle, durant les premières années de la régence de Marie de Médicis, à qui le Parlement a confié la conduite du royaume de France depuis l'assassinat du roi Henri IV.

Les personnages, à leur tour, ne peuvent manquer de nous intriguer. Qui est ce Frenhofer, vieillard « diabolique » qui semble sorti tout droit du *Faust* de Goethe ou d'un *Conte fantastique* d'Hoffmann ? Visage « flétri par les fatigues de l'âge », tête cernée « d'une dentelle étincelante de blancheur », sorte de fantôme à la Dürer, il est de toute évidence l'objet de la vénération générale, au moins de la part des autres artistes : témoin le respect que lui marque Franz Porbus, naguère portraitiste officiel de Henri IV. Porbus lui-même, malgré les tableaux fameux qu'il a peints et dont deux au moins figurent au Louvre, qui le connaît vraiment à part les amateurs d'art éclairés ? Quant à Nicolas Poussin, si grande qu'ait pu être sa célébrité dans la suite, qui donc se rappelle à quel point ses débuts furent difficiles, pour ne pas dire misérables ? La jeune Gillette elle-même, dont la beauté fascinera et Porbus et Frenhofer, avec sa vivacité, sa spontanéité, ses mouvements d'humeur, son dépit final, apporte un élément de fraîcheur féminine qui contraste avec l'égoïsme des peintres uniquement préoccupés de leur œuvre.

A côté de cette habileté à envelopper l'action de pittoresque et à en ménager les ressorts les plus vivants, on n'aura garde d'omettre la formidable *leçon d'histoire de l'art*, qui nous est donnée, chemin faisant par l'impitoyable Frenhofer. Raphaël, Titien, Véronèse, Giorgione, Holbein, Dürer, Rembrandt, Rubens, Mabuse : c'est un véritable *Musée imaginaire* à la Malraux que l'auteur rassemble devant nos yeux. Sans doute ne sommes-nous pas obligés de le suivre en tous points, ni dans ses admirations (par exemple son culte pour Raphaël), ni dans certaines de ses critiques, notamment sa prévention à l'égard de Rubens. Mais ses goûts sont dans l'ensemble ceux de son époque, et, de toute façon, sont ceux de Balzac qui s'investit, avec sa fougue passionnée, dans ce qu'il écrit.

Peut-être certains lecteurs regretteront-ils le *sérieux* de l'auteur, qui prend un peu le ton doctoral du professeur, et préféreront-ils la veine *humoristique* chère à son prédécesseur Hoffmann. Néanmoins, les raisons que nous avons aujourd'hui encore de lire — voire de découvrir — *Le Chef-d'œuvre inconnu* sont multiples et expliquent pourquoi ce récit, si bref soit-il, occupe une place de premier plan au sein de l'immense *Comédie humaine*.

Une mode littéraire : E.T.A. Hoffmann

Tous les balzaciens en tombent d'accord : *Le Chef-d'œuvre inconnu*, surtout dans sa version originale, telle qu'elle a paru dans *L'Artiste*, en 1831, « est d'abord une *imitation*, voire un *pastiche* d'Hoffmann [1] ».

Pourquoi Hoffmann ? Parce que la vogue dont il jouit en France, notamment depuis la publication de son œuvre dans la traduction de Loeve-Veimars (1830), est considérable et que son influence sur le développement du romantisme français est beaucoup plus importante que ne le déclarent, généralement, les historiens de la littérature. Dans son célèbre ouvrage *De l'Allemagne* (1810) Mme de Staël a, certes, attiré l'attention de nos compatriotes sur la littérature et la philosophie alleman-

---

1. René Guise, édition de La Pléiade (p. 401).

des, mais elle a parlé essentiellement (et pour cause[1]) des grands écrivains du *Sturm und Drang* (Goethe, Schiller) et non pas, ou accidentellement de ceux que nous regardons aujourd'hui comme les représentants les plus significatifs du romantisme allemand (Hölderlin, Novalis, L. Tieck, Brentano, Kleist, etc.). Sans doute le premier *Faust* de Goethe avait-il été traduit par G. de Nerval en 1828 et, du même coup, mis à la portée du public français ; sans doute aussi l'œuvre de Schiller était-elle loin d'être inconnue chez nous. Mais l'écrivain allemand le plus célèbre en France en 1830, année clef du romantisme français puisqu'elle est celle de la *Bataille* (et de la victoire) *d'Hernani*, est sans conteste E.T.A. Hoffmann[2], introducteur et presque inventeur de la littérature dite « fantastique[3] ».

Assurément, le terme, traduit littéralement de l'allemand *phantastisch*, a-t-il en français une tonalité un peu différente, en tout cas particulière à notre langue. En allemand, il a son sens étymologique d'*imaginaire* pur. En français, il suggère l'idée de quelque chose tenant non seulement à l'imagination, mais aussi voisin de l'irréel, du surnaturel, du chimérique, voire de l'extravagant, de l'invraisemblable, avec une connotation volontiers un peu péjorative. Et un lecteur d'Hoffmann aujourd'hui, sauf s'il a pour l'irrationnel une prédilection de principe (et le cas n'est pas si rare[4]), a quelque peine à comprendre l'engouement du public français de 1830 pour une œuvre aussi déconcertante et aussi éloi-

---

1. Elle ne pouvait avoir lu Hoffmann, qui a commencé à publier en 1816.

2. Né à Königsberg en 1776, mort à Berlin en 1822.

3. Le terme fut inventé, justement à propos d'Hoffmann, par J.-J. Ampère en 1828.

4. Cf. le numéro des *Cahiers du Sud* sur le romantisme allemand (1937).

gnée de notre esprit que celle du conteur allemand. Mais peut-être est-ce cet aspect si neuf, si inattendu, si insolite, qui explique l'attraction exercée sur ce public par une lecture qui l'arrachait à ses habitudes, à ses traditions, à son goût si naturellement voltairien pour la raillerie, pour la dérision à l'égard de l'irrationnel, pour ne pas dire de l'absurde.

En tout cas, il est certain que non seulement le public mais aussi nombre d'écrivains importants du romantisme (Nodier, Sainte-Beuve, Alexandre Dumas, Théophile Gautier, Nerval) et du post-romantisme (Mérimée, Baudelaire) furent des admirateurs et des zélateurs de la littérature « fantastique », dont le principal initiateur, au moins en France, fut l'auteur des *Élixirs du Diable*. Témoin, parmi tant d'autres, ce constat un peu dépité fait par Th. Gautier (en 1836) : « Hoffmann est populaire en France, plus populaire qu'en Allemagne. Ses contes ont été lus par tout le monde : la portière et la grande dame, l'artiste et l'épicier en sont contents[1]. »

Du conteur allemand au conteur français

Quand il publie dans deux numéros successifs de *L'Artiste* (31 juillet-4 août 1831) *Le Chef-d'œuvre inconnu, conte fantastique*, Balzac est un jeune écrivain de 32 ans, qui s'est déjà acquis une notoriété suffisante pour qu'il soit sollicité d'écrire et de publier dans une revue, qui n'a qu'un an d'existence, mais qui tente de prendre le premier rang et de rivaliser avec *La Revue de Paris*. Il vient de faire paraître *La Maison du chat qui pelote* et divers récits, dont *La Sarrazine*, où il a abordé

---

1. Cité par Marcel Schneider : *La Littérature fantastique en France*, p. 157.

« les problèmes de l'art[1] ». D'autre part, le domaine du
fantastique est loin de lui être inconnu puisqu'il pro-
clame fièrement, même s'il ne prononce pas le nom
d'Hoffmann, la capacité d'un écrivain français (lui-
même, évidemment) à s'illustrer dans ce genre :
« Croyez-vous, lance-t-il comme un défi, que l'Allemagne ait seule le privilège d'être *absurde* et *fantastique* ? » Comme, en outre, il est à court d'argent et qu'il
reçoit la promesse d'une rémunération de mille francs
(or), il a toutes les raisons d'accepter la commande qui
lui est faite de composer dans les plus brefs délais un
récit dont la trame et la tonalité s'apparentent à celles
d'un conte d'Hoffmann récemment paru dans *L'Artiste*
sous le titre *La Leçon de violon*[2].

P.-G. Castex a magistralement mis en lumière la filia-
tion qui unit *Le Chef-d'œuvre inconnu* à *La Leçon de
violon*, même si l'auteur français a transposé son modèle
du monde de la musique dans celui de la peinture.

Première ressemblance : dans les deux récits, il y a
trois personnages, dont chacun joue à sa façon le même
rôle. Chez Hoffmann, le jeune violoniste Carl, élève du
maître de chapelle Haak ; chez Balzac, un artiste à ses
débuts, Nicolas Poussin, introduit par un être mystérieux, voire un peu « diabolique » dans l'atelier de Porbus, un peintre de grand talent, dont il souhaite devenir
le disciple. Quant au troisième des acteurs de chaque
récit, c'est, chez le conteur allemand, le baron von B.,
homme riche, passionnément épris de musique et violoniste virtuose, dont les grands modèles, Tartini, Nardini,
par exemple, ont laissé mieux qu'un nom dans l'histoire
du violon, et qui, bien que fort occupé, accepte de donner des leçons au jeune Carl, comme il en donne déjà à

---

1. René Guise, *op. cit.*
2. Primitivement intitulé : *Le Baron von B.*, du nom du principal
personnage.

son maître Haak. Ce rôle, à la fois d'homme fortuné et d'artiste éprouvé, trouve sa réplique, chez Balzac, dans le personnage de Frenhofer, peintre d'aspect fantomatique et introducteur, par hasard, de Poussin chez Porbus. De plus, l'un et l'autre pratiquent volontiers le mécénat : le premier donne un ducat au jeune violoniste, son homologue deux pièces d'or à Nicolas Poussin.

Seconde ressemblance : les propos du baron sur l'art du violon, et ceux de Frenhofer sur la peinture. Pour l'un comme pour l'autre, les vrais artistes sont de très rares privilégiés, plus ou moins protégés, si ce n'est inspirés par les puissances célestes. Ils se considèrent tous les deux comme des maîtres inégalables et n'ont que mépris pour la plupart des violonistes ou des peintres de leur temps.

Troisième similitude, et non la moindre : le dénouement, l'échec final de chacun d'eux. Du violon du baron ne s'élèvent que « sifflements, gémissements, miaulements, capables de crisper les nerfs les moins délicats » ; la toile que Frenhofer dévoile à Porbus et à Poussin ne révèle que « couleurs confusément amassées et contenues par une multitude de lignes bizarres qui forment une muraille de peinture », même s'il en émerge « un pied délicieux, un pied vivant ». En outre, et c'est le dernier trait commun aux deux personnages, ni le baron von B. ni Frenhofer ne se rendent compte de leur échec : tous les deux se trouvent *in fine* dans un état d'extase, qui fait d'eux « des hallucinés » (P.-G. Castex).

Si tous les spécialistes s'accordent à reconnaître dans *Le Chef-d'œuvre inconnu* un démarquage visible de *La Leçon de violon*, ils divergent sur un certain nombre d'autres emprunts que Balzac a (ou aurait) faits au conteur allemand. Les deux thèses principales à cet égard sont, l'une de Pierre Laubriet, l'autre de René Guise.

11

Selon P. Laubriet [1], le récit de Balzac mettant en scène des peintres et non plus des musiciens, l'auteur, qui se vantait d'avoir lu dans sa totalité l'œuvre d'Hoffmann, a pu y trouver des modèles de peintres, eux aussi hors du commun. A commencer par le personnage de Berklinger, qui joue un rôle non négligeable dans un conte hoffmannesque intitulé *La Cour d'Artus*. Certes, Berklinger n'est pas le protagoniste de ce conte, dont le héros est un jeune homme riche, Traugott, associé et futur gendre d'un homme d'affaires. Mais il intervient d'une façon décisive dans le destin de ce Traugott. Un jour, celui-ci se rend à la cour d'Artus, un lieu-dit de Dantzig, où se réunissent les marchands de la ville, et y voit un tableau dont brusquement les personnages, un vieillard et sa fille, s'animent sous ses yeux (comme s'animera, dans *Le Chef-d'œuvre inconnu*, la femme dont Frenhofer s'évertue à faire le portrait). Or, le vieillard est un peintre allemand du XVe siècle et de qui Traugott, en visite dans son atelier, reçoit la révélation que lui-même est fait, non pas pour le monde des affaires et pour la vie bourgeoise (« quelle misérable vie », s'écrie-t-il), mais pour le « monde idéal » de l'Art. Hélas ! Ce que le jeune homme ignore, c'est que Berklinger est un peintre qui « est *mort pour l'art* depuis des années » : « Il reste des jours entiers, les yeux fixés sur ce fond intact ; il appelle cela peindre. » — Force est de reconnaître qu'entre le cas de ce personnage atteint d'impuissance créatrice et celui du Frenhofer de Balzac, il existe des ressemblances pour le moins frappantes.

Sans contester les emprunts que l'auteur du *Chef-d'œuvre inconnu* a pu faire à *La Cour d'Artus*, René Guise [2] est tenté d'y adjoindre ceux dont il serait redevable à une autre œuvre d'Hoffmann : *Les Élixirs du diable*

---

1. P. Laubriet : *Un catéchisme esthétique*, Didier, 1961.
2. Édition de *La Pléiade*, op. cit.

(1815-1816), un roman à la trame passablement enche-
vêtrée, que Balzac ne pouvait pas ne pas avoir lu, à
preuve *L'Élixir de longue vie* (1831) dont le titre suffit
à indiquer sa dette envers son prédécesseur allemand.

René Guise rappelle qu'il y a dans *Les Élixirs du diable*
un personnage de peintre, Francesco, obsédé par la figure
d'une femme « qui hantait toutes ses pensées » sans
parvenir à en faire le portrait. Quand il arrive à ses fins, il
tombe amoureux de la Vénus qu'il a peinte et croit même
la voir s'animer. Il tente alors de l'étreindre, mais en
vain : il n'étreint qu'« une toile sans vie ». Francesco,
comme Frenhofer, vit le drame bien connu de Pygmalion
— le sculpteur (mythique) amoureux de sa statue —, dont
le nom est invoqué dans le conte de Balzac : les deux
artistes sont victimes de la même « illusion ».

La conclusion de René Guise est péremptoire et a le
mérite de mettre en lumière, mieux que personne ne
l'avait fait avant lui, une troisième source hoffmannesque du récit balzacien : « Si la mise en scène du *Chef-
d'œuvre inconnu* semble bien être imitée de *La Cour
d'Artus*, sa tonalité est plus probablement due à une lecture des *Élixirs du diable*. Balzac a très consciencieuse-
ment fait le *conte à la manière d'Hoffmann* qui lui était
commandé. »

Un bréviaire artistique

Si le *Chef-d'œuvre inconnu* apparaît, au premier
regard, comme le travail d'un tâcheron des Lettres appli-
qué à donner toute satisfaction à ceux qui lui ont assigné
une besogne précise, cette vision des choses s'applique
essentiellement au récit dans sa version initiale, tel
qu'ont pu le découvrir les lecteurs de *L'Artiste* en 1831 [1].

---

1. Dans l'édition qui est sortie peu après chez l'éditeur Gosselin, le
texte est déjà légèrement remanié.

Mais il faut savoir que l'auteur, cinq ou six ans plus tard, remit l'ouvrage sur le métier, l'allongea et l'étoffa énormément (le texte définitif est plus du double du premier), notamment en développant si largement les considérations sur la peinture et sur l'Art en général qu'elles transforment le conte en une sorte de *bréviaire artistique*. C'est sous cette nouvelle forme que *Le Chef-d'œuvre inconnu* sera publié en 1837 et qu'il entrera, en 1845, au tome XIV de *La Comédie humaine*, classé parmi les *Études philosophiques* à côté de *La Peau de chagrin* et de *La Recherche de l'absolu*.

Ces précisions prouvent que, s'il fut au départ un pastiche d'Hoffmann, le récit de Balzac ne tarda pas à devenir, sous la plume exigeante et inspirée de son émule français, une œuvre puissamment originale, un conte *proprement balzacien*.

On s'est beaucoup interrogé sur la question de savoir si les thèses développées en matière de peinture par l'auteur du *Chef-d'œuvre inconnu* étaient ou non de son cru. On a voulu y déceler l'influence soit de Diderot, soit de Delacroix, soit encore de Théophile Gautier. Et il est vrai qu'on peut relever dans le récit de Balzac des rapprochements troublants avec les pensées émises par tel ou tel d'entre eux. On ne peut en donner ici qu'un petit nombre d'exemples.

La critique adressée à la formation académique des jeunes artistes est déjà dans Diderot, hostile notamment à l'emploi de l'« écorché » à l'école des Beaux-Arts. De même, ce qu'écrit Balzac à propos de la « ligne » se trouve dans le *Journal* de Delacroix, peintre bien connu de l'écrivain : « Je suis à ma fenêtre et je vois le plus beau paysage : l'idée d'une *ligne* ne me vient pas à l'esprit [...] C'est le dessin qui donne la forme aux êtres ; c'est *la couleur*, qui leur donne *la vie*. » Quant à Théophile Gautier, on lui prête des propos qui peuvent laisser entendre qu'il a relu le texte de très près en compagnie de l'auteur et que la dette de ce dernier envers son ami Théo est immense, puisque celui-ci, en relisant *Le Chef-d'œuvre inconnu* dans sa version définitive, se serait écrié : « C'est étrange. Je sais, je sens bien que c'est de moi et cependant rien n'est de moi. *Tout est du Balzac.* »

Si non e vero... Malgré le respect dû à d'éminents balzaciens et aux hypothèses qu'ils ont pu émettre, il demeure que l'auteur du *Chef-d'œuvre inconnu*, quels que soient les emprunts qu'il a pu faire, consciemment ou inconsciemment, avait assez de génie pour imprimer à son récit sa griffe personnelle, qui est bien celle du *lion*.

Même si Balzac n'avait, en matière picturale, la compétence ni d'un Diderot, ni d'un Gautier, ni d'un Baudelaire, ni d'un Zola, tous les quatre écrivains d'art avérés, et si les idées qu'il développe sur le sujet dans *Le Chef-d'œuvre inconnu* n'ont rien d'original, il faut bien admettre que le conte en question *n'y prétend pas*, même quand Frenhofer donne la leçon, chemin faisant, à Porbus et, à travers lui, au lecteur, et reconnaître que l'essentiel est ailleurs. Rangé, dans les *Études philosophiques*, à côté de *Gambara* et de *Massimila Doni*, deux contes mettant en scène des musiciens, *Le Chef-d'œuvre inconnu* forme avec eux une « trilogie à part », « un sous-ensemble cohérent consacré plus particulièrement au problème de la *création artistique*[1] », où c'est l'auteur en personne qui fait entendre sa voix et exprime, haut et clair, des convictions qui lui sont chères.

Qu'est-ce à dire, sinon que Balzac est lui-même un *créateur* que les questions ayant trait soit à l'écriture, soit à l'expression picturale ou musicale, concernaient personnellement. Dans *Le Chef-d'œuvre inconnu*, il parle moins de peinture que d'*art* en tant qu'activité spé-

---

1. René Guise, *op. cit.*

cifique, méritant à ce titre même d'être représentée et étudiée au sein de *La Comédie humaine*. Ce qui est en jeu, c'est l'homme face à un tourment qui de tout temps a obsédé l'humanité et que Balzac a magistralement désigné dans un de ses titres les plus fameux : *La Recherche de l'absolu*[1]. De même que Balthazar Claës, le héros de ce roman, est un chimiste (ou un alchimiste ?) qui veut à tout prix percer le secret de la matière et qui, négligeant tout le reste, devient la victime d'une obsession tournant à la monomanie, de même Frenhofer rêve d'un « chef-d'œuvre » *absolument parfait*. Et c'est cette poursuite effrénée de la perfection, ce perfectionnisme forcené, qui est la cause de son échec final. De peintre qu'il était, il devient un théoricien, un utopiste impuissant à s'incarner dans un tableau qui réponde à sa quête de l'inaccessible. « Il est encore plus *poète* que peintre », a bien compris Nicolas Poussin, qui met ainsi en opposition l'artiste, hanté par sa création, et le peintre qui, lui, s'exprime en peignant des tableaux, des tableaux réels et non chimériques. « Le mirage est engendré par la pression de l'inconscient ; mais sans le travail technique de l'expression, le *phantasme* est destiné à demeurer ombre » (Robert André). Il commet, dit superbement Marc Eigeldinger, « le péché d'*angélisme*[2] », au sens où Pascal écrit : « Qui veut faire l'ange fait la bête. »

Tel est le drame profond de Frenhofer : il rêve au lieu de peindre, et, du coup, pareil à Louis Lambert, autre héros balzacien, il est condamné à l'incapacité créatrice, au fiasco final. Balzac analyse son cas avec profondeur : « Se trouvait-il subjugué par une fantaisie d'artiste, ou les idées qu'il avait exprimées procédaient-elles de ce

1. 1834.
2. Introduction au *Chef-d'œuvre inconnu* dans l'édition Garnier-Flammarion.

fanatisme inexprimable produit en nous par l'enfantement d'une grande œuvre ? » S'il a si lucidement posé
la question, c'est que l'auteur de *La Comédie humaine*,
tout juste ébauchée quand il aborde le thème de « la
puissance *destructrice de la pensée* » sur l'action, est
lui-même en train d'enfanter une œuvre surhumaine dont
il peut alors se demander s'il réussira à lui faire voir le
jour. Heureusement pour lui (comme pour nous), il est
le contraire d'un raté, mais il a pu nourrir des doutes,
voire des angoisses, à son propre sujet.

De Balzac à Cézanne... et à Proust

Reste un élément, trop souvent négligé par les com-
mentateurs [1], qui achève de donner au récit sa spécificité
balzacienne : le personnage de Gillette, qui n'intervient
que dans les dernières pages. Son rôle consiste à illustrer
un autre conflit dont l'artiste est victime, non plus celui
qui oppose son ambition d'atteindre la perfection et
l'impossibilité de produire une œuvre sans défaut, mais
celui qui touche à sa vie personnelle, sa vie privée,
disons le mot : sa vie *amoureuse*. Cette antinomie est
particulièrement frappante au moment où Gillette, plus
lucide que son amant, lui fait observer : « Quand je pose,
tes yeux ne me disent rien. *Tu ne penses plus à moi*, et
cependant tu me regardes. » Poussin a beau s'écrier :
« Je ne suis pas peintre, *je suis amoureux*. Périssent l'art
et ses secrets ! », le dilemme est inéluctable : il faut
choisir entre l'art et l'amour. Le peintre hésite devant le
choix. Un instant, lorsque Gillette se déclare prête à
sacrifier sa pudeur pour lui permettre de poursuivre sa
carrière, l'homme jeune qui est en lui a un mouvement
de révolte et refuse le sacrifice : « Il devient *plus amant*

---

1. Excepté par René Guise, *op. cit.*, p. 408-410.

qu'artiste. » Mais son élan de sincérité est aussitôt brisé par l'impitoyable Porbus, qui, lui, instruit par l'expérience, fait tomber la sentence : « Les fruits de l'amour *passent vite* et ceux de l'art sont *immortels*. »

Du reste, peu après, le jeune homme ne tarde pas à redevenir le peintre-né qu'il est. Quand il admire un tableau de Frenhofer, qu'il juge digne de Giorgione, ses yeux sont d'un artiste, non plus d'un amoureux. Gillette n'est pas dupe : « Il ne m'a *jamais* regardée ainsi. » Le sacrifice de la jeune femme est dès lors inévitable, et ils en sont, elle et lui, pleinement conscients : continuer à peindre, c'est « la sacrifier à la peinture et à son glorieux avenir ». Autrement dit, quiconque est artiste est condamné à suivre sa vocation, même si ce doit être aux dépens de ses sentiments les plus intimes. Gillette le sait fort bien, car son dernier cri est, à son tour, pour rejeter celui qu'elle aimait : « Je serais une infâme de t'aimer encore, car *je te méprise* [...] Je crois que *je te hais* déjà. »

Dans le concept, d'origine précieuse, mais sublimé ici, de l'*amour-estime* l'emportant sur l'*amour-passion*, Balzac, et c'est inattendu, donne au personnage féminin une sorte de grandeur cornélienne.

Last but not least : admirons que *Le Chef-d'œuvre inconnu* préfigure le destin de Paul Cézanne, qui, observe M. Eigeldinger, s'est « identifié avec Frenhofer ». Le conte de Balzac était, en effet, « un de ses livres de chevet » (J. Gasquet). Et s'il l'était, c'est que le héros en était une sorte de frère, tout proche de lui-même, car il se sentait victime, lui aussi, des lois en vertu desquelles, écrit Balzac à Madame Hanska, se produit « le suicide de l'Art ».

Il est établi qu'Émile Zola, ami de jeunesse de Cézanne, a pensé à celui-ci, quand, dans *L'Œuvre* (1886), il a mis en scène un peintre, Claude Lantier, ne réussissant pas à réaliser « l'œuvre » qu'il poursuit en vain. Reste à déterminer si le romancier des *Rougon-*

Macquart avait raison et si son regard puissant, mais un peu myope, ne manquait pas de la prescience nécessaire pour déceler en Cézanne un artiste très en avance sur son temps, qui, un jour, serait salué comme un précurseur capital de l'art moderne.

Par-delà les recherches érudites, il est permis de rêver à d'autres postérités possibles du *Chef-d'œuvre inconnu*. Tel ce rapprochement qui consisterait à trouver, dans le dernier chapitre du récit balzacien, une analogie entre la situation de Gillette et celle d'un personnage clef d'*Un amour de Swann* : Odette de Crécy.

Au début de sa relation avec celui qui n'est pas encore son amant et dont le savoir l'intimide, Odette émet un tendre reproche : « Vous allez vous moquer de moi, ce peintre *qui vous empêche de me voir* (elle voulait parler de Vermeer) vit-il encore ? » Si elle manifeste une sorte de jalousie envers un artiste du passé à qui Swann, pour donner un sens à sa vie, tente de consacrer le meilleur de lui-même, comment ne pas évoquer la scène du récit balzacien où Nicolas Poussin cesse de « regarder » sa jeune maîtresse parce qu'il admire d'un œil dévorant un tableau de Frenhofer digne de Giorgione ?

Il y a même conflit entre *l'art et l'amour*, et, dans les deux cas, c'est l'amour qui perd la partie. Or, pour Balzac comme pour Proust, n'en a-t-il pas été de même dans leur propre existence ? N'est-ce pas « l'œuvre », l'*opus necessarium* qui a été leur préoccupation (et leur occupation) privilégiée ?

Ainsi, du simple lecteur au chercheur en quête de rapprochements inédits ou à l'esthète méditant sur la philosophie de l'art, chacun peut trouver son compte dans *Le Chef-d'œuvre inconnu*. En trente pages, l'auteur trouve le moyen de laisser parler son génie : qui peut dire plus en si peu d'espace ?

Maurice BRUÉZIÈRE.

APERÇU BIBLIOGRAPHIQUE

I. ÉDITIONS DE BALZAC

Le Livre de Poche, préface de Robert André.
Édition de La Pléiade, Balzac (tome X), par René Guise.
Édition Garnier-Flammarion, par M. Eigeldinger.

II. ÉTUDES GÉNÉRALES

P.-G. CASTEX : *Le Conte fantastique en France*, Librairie José Corti.
M. SCHNEIDER : *La Littérature fantastique en France*, Fayard.
M. EIGELDINGER : *La Philosophie de l'art chez Balzac*, La Baconnière.

III. ÉTUDES PARTICULIÈRES

P. LAUBRIET : *Un catéchisme esthétique, Le Chef-d'œuvre inconnu de Balzac*, Didier.

REPÈRES CHRONOLOGIQUES

DATES	VIE ET ŒUVRES	ÉVÉNEMENTS POLITIQUES ET FAITS DE SOCIÉTÉ	LETTRES, ARTS ET SCIENCES
1799	Naissance à Tours.	Coup d'État du 18 Brumaire. Bonaparte, premier consul.	Découverte en Égypte de la pierre de Rosette. *Première Symphonie* de Beethoven.
1804-1806		Napoléon Ier empereur. Code civil. Début des guerres napoléoniennes : Austerlitz (1805), Iéna (1806).	Naissance de Berlioz (1803). David, peintre officiel. Baron Gros : *Les Pestiférés de Jaffa*. *Symphonie héroïque* de Beethoven. Métier à tisser de Jacquard (1805).
1807	Pensionnaire au Collège de Vendôme.	Friedland.	Madame de Staël : *Corinne*. Théorie atomique de Dalton. Fichte : *Discours à la nation allemande*.
1808		Début de la guerre d'Espagne.	Goethe : Premier *Faust*

DATES	VIE ET ŒUVRES	ÉVÉNEMENTS POLITIQUES ET FAITS DE SOCIÉTÉ	LETTRES, ARTS ET SCIENCES
1809-1810		Apogée de l'Empire.	Chateaubriand : *Les Martyrs*. Naissance de Robert Schumann et de Frédéric Chopin. Madame de Staël : *De l'Allemagne* (1810).
1812		Campagne de Russie.	Byron : *Childe Harold*. Décret de Moscou organisant la Comédie-Française
1814	Installation de la famille Balzac à Paris.	Abdication de Napoléon. Première Restauration.	Goya : *Dos de Mayo* et *Tres de Mayo*. Stendhal à Milan.
1815		Retour de l'île d'Elbe. Les Cent-Jours. Abdication définitive de Napoléon. Restauration jusqu'en 1830. Congrès de Vienne (1815).	Ingres : *La Grande Odalisque*. Hoffmann : *Les Élixirs du diable*.
1816-1817	Étudiant en droit et clerc chez un avoué et un notaire.	Chateaubriand dans l'opposition. Dissolution de la « Chambre introuvable ».	Goethe : *Faust*. Benjamin Constant : *Adolphe*. Cuvier : *Le Règne animal*.
1819	Décide de se consacrer à la littérature.	Ministère Decazes. Lois libérales.	Walter Scott : *Ivanhoé*. Géricault : *Le Radeau de la Méduse*. Laennec : travaux sur l'auscultation. Ampère et Arago : travaux sur l'électromagnétisme.

DATES	VIE ET ŒUVRES	ÉVÉNEMENTS POLITIQUES ET FAITS DE SOCIÉTÉ	LETTRES, ARTS ET SCIENCES
1820			Lamartine : *Méditations poétiques*.
1822	Liaison avec Madame de Berny (« La Dilecta »).	Lois répressives contre la liberté individuelle et contre la presse.	Champollion déchiffre les hiéroglyphes. Schubert : *Symphonie inachevée*.
1823	Premiers romans.		Niepce invente la photographie. Mérimée : *Le Théâtre de Clara Gazul*. Mort du peintre Louis David.
1824		Mort de Louis XVIII. Avènement de Charles X.	Beethoven : *Neuvième Symphonie*. Delacroix : *Les Massacres de Chio*.
1825-1826	Balzac se lance dans l'édition.		Vigny : *Cinq-Mars*.
1829	Mort du père de Balzac. *Les Chouans*. *Physiologie du mariage*.	Fin de la guerre russo-turque.	A. Dumas : *Henri III et sa cour*. Mérimée : *Mateo Falcone*.
1830	*Gobseck*. *La Maison du chat qui pelote*.	Révolution de Juillet. Avènement de Louis-Philippe. Prise d'Alger par les Français.	Stendhal : *Le Rouge et le Noir*. Hugo, bataille d'*Hernani*.
1831	*La Peau de chagrin*. *Contes philosophiques*.	Révolte des canuts à Lyon.	Hugo : *Notre-Dame de Paris*. Delacroix : *La Liberté guidant le peuple*.

DATES	VIE ET ŒUVRES	ÉVÉNEMENTS POLITIQUES ET FAITS DE SOCIÉTÉ	LETTRES, ARTS ET SCIENCES
1832	Première Lettre de l'Étrangère (Madame Hanska). Le Colonel Chabert. Le Curé de Tours.		George Sand : Indiana.
1833	Rencontre en Suisse avec Madame Hanska. Le Médecin de campagne. Eugénie Grandet.	Loi Guizot sur l'enseignement primaire.	Musset : Un spectacle dans un fauteuil.
1834	Le Père Goriot. La Femme de trente ans.		Musset : Lorenzaccio.
1835	Le Lys dans la vallée.	Attentat de Fieschi.	Vigny : Servitude et grandeur militaires. Andersen : Contes
1836	Mort de Madame de Berny. Voyage dans le Piémont.	Ministère Thiers.	Musset : Les Nuits. Lamartine : Jocelyn. Mérimée : La Vénus d'Ille. Inauguration de l'Arc de Triomphe de l'Étoile. L'Obélisque de Louqsor, place de la Concorde. Meyerbeer : Les Huguenots.
1837	Voyages en Italie et en Suisse. Installation à Sèvres. César Birotteau. Illusions perdues (I).		Hugo : Les Voix intérieures. Dickens : Oliver Twist. Rude : Départ des Volontaires (Arc de triomphe)

DATES	VIE ET ŒUVRES	ÉVÉNEMENTS POLITIQUES ET FAITS DE SOCIÉTÉ	LETTRES, ARTS ET SCIENCES
1838	Nouveaux voyages. Séjour à Nohant, chez George Sand. *La Maison Nucingen*.	Mort de Talleyrand.	Hugo : *Ruy Blas*. Poe : *Arthur Gordon Pym*.
1839	Président de la Société des Gens de Lettres. *Gambara, Massimila Doni, Illusions perdues* (II), *Le Cabinet des antiques* (III).	Démission du ministère Molé.	Stendhal : *La Chartreuse de Parme*. Naissance de Cézanne.
1840	Installation à Passy (actuelle maison de Balzac).	Retour des cendres de Napoléon. Prépondérance de Guizot dans la direction des affaires de la France jusqu'en 1848.	Mérimée : *Colomba*.
1841	Signature avec Furne du contrat pour la publication de *La Comédie humaine*.		Gogol : *Les Ames mortes*. Delacroix : *Prise de Constantinople par les Croisés*.
1842	*Ursule Mirouet, Albert Savarus, Une ténébreuse affaire*.		A. Bertrand : *Gaspard de la nuit*. E. Sue : *Les Mystères de Paris*.
1843	Voyage à Saint-Petersbourg, où il retrouve Madame Hanska, veuve depuis deux ans. *Illusions perdues* (III).		Hugo : *Les Burgraves*.

DATES	VIE ET ŒUVRES	ÉVÉNEMENTS POLITIQUES ET FAITS DE SOCIÉTÉ	LETTRES, ARTS ET SCIENCES
1844	*Modeste Mignon. Splendeurs et misères des courtisanes (I et II).*	Bataille de l'Isly (Algérie).	Dumas : *Les Trois Mousquetaires.*
1845	Voyages avec Madame Hanska et sa fille en Allemagne, en Touraine, à Naples.	Abolition de l'esclavage dans les colonies françaises.	Mérimée : *Carmen.* R. Wagner : *Tannhäuser.*
1846	Fin de la publication de *La Comédie Humaine. La Cousine Bette.*		G. Sand : *La Mare au diable.* H. Berlioz : *La Damnation de Faust.*
1847	Séjour en Ukraine chez Madame Hanska. *Le Cousin Pons.*	Campagne des Banquets (républicains).	Michelet : *Histoire de la Révolution française.*
1848	Hostile à la Révolution de Février.	Révolution de Février. Proclamation de la IIe République. Louis-Napoléon président.	Mort de Chateaubriand et publication des *Mémoires d'outre-tombe.*
1849	Séjour en Ukraine.		Mort de Chopin.
1850	Mariage en Ukraine avec Madame Hanska. Retour et mort à Paris (18 août).	Loi Falloux.	Naissance de Maupassant, Courbet : *L'Enterrement à Ornans.*

LE CHEF-D'ŒUVRE INCONNU

À UN LORD [1]

. . . .
. . . .
. . . .
. . . .
. . . .

1845.

I

GILLETTE [2]

Vers la fin de l'année 1612, par une froide matinée de décembre, un jeune homme dont le vêtement était de

---

1. Dédicace mystérieuse, datant de l'édition de 1845, et dont les érudits n'ont pas réussi à déterminer si elle était de pure fantaisie ou destinée à un personnage réel.
2. Le sous-titre de la première partie était, primitivement, *Maître Frenhofer*.

très mince apparence[1] se promenait devant la porte
d'une maison située rue des Grands-Augustins, à Paris.
Après avoir assez longtemps marché dans cette rue avec
l'irrésolution d'un amant qui n'ose se présenter chez sa
première maîtresse, quelque facile qu'elle soit, il finit
par franchir le seuil de cette porte, et demanda si maître
François Porbus[2] était en son logis. Sur la réponse affir-
mative que lui fit une vieille femme occupée à balayer
une salle basse, le jeune homme monta lentement les
degrés et s'arrêta de marche en marche, comme quelque
courtisan de fraîche date inquiet de l'accueil que le Roi
va lui faire. Quand il parvint en haut de la vis[3], il
demeura pendant un moment sur le palier, incertain s'il
prendrait le heurtoir grotesque[4] qui ornait la porte de
l'atelier où travaillait sans doute le peintre de Henri IV,
délaissé pour Rubens[5] par Marie de Médicis. Le jeune
homme éprouvait cette sensation profonde qui a dû faire

---

1. Façon d'indiquer la pauvreté du personnage : l'étoffe de son vêtement est de médiocre qualité, à moins qu'elle ne soit très usagée.
2. Franz Porbus, dit *le Jeune*. Né à Anvers et mort à Paris (1570-
1622). Après un séjour à Rome, il fut invité à la Cour de France, où
il devint une sorte de peintre officiel. On lui doit, entre autres, un
Portrait de Henri IV (cuirassé) et un *Portrait* (en pied) *de Catherine
de Médicis*. Les deux tableaux sont au musée du Louvre.
3. Escalier à vis, c'est-à-dire en forme de vis.
4. Marteau dont on se servait pour frapper à la porte d'entrée. *Grotesque* s'est dit d'abord de figures ou d'ornements bizarres, tels qu'on
peut en trouver dans les *grottes*. Le mot eut un grand succès à l'époque
romantique (cf. *Les Grotesques* (1833-1844) de Théophile Gautier).
5. Pierre-Paul Rubens (1577-1640). « C'est seulement en 1620 que
Marie de Médicis s'adressa à Rubens » (René Guise, *op. cit.*). Veuve
d'Henri IV depuis 1610, elle était alors régente du royaume de France.
On notera que Th. Gautier et Baudelaire marquent le même éloigne-
ment à l'égard de ce peintre.

vibrer le cœur des grands artistes, quand, au fort de la jeunesse et de leur amour pour l'art, ils ont abordé un homme de génie ou quelque chef-d'œuvre. Il existe dans tous les sentiments humains une fleur primitive, engendrée par un noble enthousiasme qui va toujours faiblissant, jusqu'à ce que le bonheur ne soit plus qu'un souvenir et la gloire un mensonge. Parmi nos émotions fragiles, rien ne ressemble à l'amour comme la jeune passion d'un artiste commençant le délicieux supplice de sa destinée de gloire et de malheur, passion pleine d'audace et de timidité, de croyances vagues et de découragements certains. À celui qui, léger d'argent[1], qui, adolescent de génie, n'a pas vivement palpité en se présentant devant un maître, il manquera toujours une corde dans le cœur, je ne sais quelle touche de pinceau, un sentiment dans l'œuvre, une certaine expression de poésie. Si quelques fanfarons bouffis d'eux-mêmes croient trop tôt à l'avenir, ils ne sont gens d'esprit que pour les sots. À ce compte, le jeune inconnu paraissait avoir un vrai mérite, si le talent doit se mesurer sur cette timidité première, sur cette pudeur indéfinissable que les gens promis à la gloire savent perdre dans l'exercice de leur art, comme les jolies femmes perdent la leur dans le manège de la coquetterie. L'habitude du triomphe amoindrit le doute, et la pudeur est un doute peut-être[2].

Accablé de misère et surpris en ce moment de son

---

1. Balzac pense sans doute à ses propres débuts dans les Lettres.
2. Vraisemblablement. L'adverbe atténue le côté affirmatif de la sentence.

outrecuidance[1], le pauvre néophyte[2] ne serait pas entré chez le peintre auquel nous devons l'admirable portrait de Henri IV, sans un secours extraordinaire que lui envoya le hasard. Un vieillard vint à monter l'escalier. À la bizarrerie de son costume, à la magnificence de son rabat de dentelle[3], à la prépondérante sécurité de sa démarche, le jeune homme devina dans ce personnage ou le protecteur ou l'ami du peintre. Il se recula sur le palier pour lui faire place, et l'examina curieusement, espérant trouver en lui la bonne nature d'un artiste, ou le caractère serviable des gens qui aiment les arts[4] ; mais il y avait quelque chose de diabolique dans cette figure, et surtout ce *je ne sais quoi*[5] qui affriande[6] les artistes. Imaginez un front chauve, bombé, proéminent, retombant en saillie sur un petit nez écrasé, retroussé du bout comme celui de Rabelais ou de Socrate[7] ; une bouche rieuse et ridée, un menton court, fièrement relevé, garni d'une barbe grise taillée en pointe ; des yeux vert de mer, ternis en apparence par l'âge, mais qui, par le contraste du blanc nacré dans lequel flottait la prunelle, devaient parfois jeter des regards magnétiques[8] au fort

---

1. Au sens étymologique : l'outre-cuidant se croit supérieur à ce qu'il est réellement.

2. Adepte fraîchement converti à une religion (ici la religion de l'art) et la servant avec ardeur.

3. Ornement vestimentaire : sorte de grand col, ou parfois de cravate, retombant sur le haut de la poitrine.

4. Frenhofer, dans la suite, se conduira en *mécène* envers le jeune Nicolas Poussin.

5. Quelque chose d'indéfinissable. Expression fort à la mode dès le XVIIe siècle.

6. Qui attire, comme quelque chose dont on est *friand*.

7. Il est généralement dépeint comme ayant un nez épaté.

8. Exerçant un attrait irrésistible, comme fait un aimant.

Porbus le Jeune, *Henri IV en armure*, Musée du Louvre.
« ... le peintre auquel nous devons l'admirable portrait de
Henri IV. »

de la colère ou de l'enthousiasme. Le visage était d'ailleurs singulièrement flétri par les fatigues de l'âge, et plus encore par ces pensées qui creusent également l'âme et le corps. Les yeux n'avaient plus de cils[1], et à peine voyait-on quelques traces de sourcils au-dessus de leurs arcades saillantes. Mettez cette tête sur un corps fluet et débile, entourez-la d'une dentelle étincelante de blancheur et travaillée comme une truelle à poisson[2], jetez sur le pourpoint[3] noir du vieillard une lourde chaîne d'or, et vous aurez une image imparfaite de ce personnage auquel le jour faible de l'escalier prêtait encore une couleur fantastique. Vous eussiez dit une toile de Rembrandt marchant silencieusement et sans cadre dans la noire atmosphère que s'est appropriée ce grand peintre. Il jeta sur le jeune homme un regard empreint de sagacité, frappa trois coups à la porte, et dit à un homme valétudinaire[4], âgé de quarante ans environ, qui vint ouvrir : « Bonjour, maître[5]. »

Porbus s'inclina respectueusement, il laissa entrer le jeune homme en le croyant amené par le vieillard et s'inquiéta d'autant moins de lui que le néophyte demeura sous le charme que doivent éprouver les peintres-nés à l'aspect du premier atelier qu'ils voient et où se révèlent quelques-uns des procédés matériels de l'art. Un vitrage ouvert dans la voûte éclairait l'atelier de maître Porbus. Concentré sur une toile accrochée au cheva-

---

1. Singularité propre à l'anatomie balzacienne.
2. Instrument aplati pour découper ou servir le poisson.
3. Vêtement d'apparat couvrant le haut du corps.
4. D'aspect maladif.
5. Nom donné à un artiste reconnu pour un « maître ».

let, et qui n'était encore touchée que de trois ou quatre traits blancs[1], le jour n'atteignait pas jusqu'aux noires profondeurs des angles de cette vaste pièce ; mais quelques reflets égarés allumaient dans cette ombre rousse[2] une paillette argentée au ventre d'une cuirasse de reître[3] suspendue à la muraille, rayaient d'un brusque sillon de lumière la corniche sculptée et cirée d'un antique dressoir[4] chargé de vaisselles curieuses, ou piquaient de points éclatants la trame grenue de quelques vieux rideaux de brocart d'or[5], aux grands plis cassés, jetés là comme modèles. Des écorchés de plâtre[6], des fragments et des torses de déesses antiques, amoureusement polis par les baisers des siècles, jonchaient les tablettes et les consoles. D'innombrables ébauches, des études aux trois crayons[7], à la sanguine[8] ou à la plume, couvraient les murs jusqu'au plafond. Des boîtes à couleurs, des bouteilles d'huile et d'essence, des escabeaux renversés ne laissaient qu'un étroit chemin pour arriver sous l'auréole que projetait la haute verrière, dont les rayons tombaient à plein sur la pâle figure de Porbus et sur le crâne d'ivoire de l'homme singulier. L'attention du jeune

---

1. René Guise suppose qu'il s'agit des « lignes terminatrices » dont parle Diderot.
2. Balzac joue ici beaucoup des effets d'*ombre* et de *lumière*. Il parlera plus loin de « clair-obscur ». Sans doute veut-il créer un climat mystérieux.
3. Cavalier allemand *(Reiter)*, au service du roi de France.
4. Meuble servant à contenir et à présenter *(dresser)* la vaisselle.
5. Étoffe précieuse, semée de fils d'or ou d'argent.
6. Statue d'homme dépouillé de sa peau, servant aux élèves des beaux-arts à étudier l'anatomie humaine.
7. Étude exécutée avec trois crayons : un noir, un rouge et un blanc.
8. Crayon d'ocre rouge.

homme fut bientôt exclusivement acquise à un tableau qui, par ce temps de trouble et de révolutions [1], était déjà devenu célèbre, et que visitaient quelques-uns de ces entêtés auxquels on doit la conservation du feu sacré pendant les jours mauvais. Cette belle page représentait une *Marie égyptienne* se disposant à payer le passage du bateau [2]. Ce chef-d'œuvre, destiné à Marie de Médicis, fut vendu par elle aux jours de sa misère.

« Ta sainte me plaît, dit le vieillard à Porbus, et je te la paierais dix écus d'or au-delà du prix que donne la reine ; mais aller sur ses brisées [3] ?... du diable !

— Vous la trouvez bien ?

— Heu ! heu ! fit le vieillard, bien ; oui et non. Ta bonne femme n'est pas mal troussée [4], mais elle ne vit pas. Vous autres, vous croyez avoir tout fait lorsque vous avez dessiné correctement une figure et mis chaque chose à sa place d'après les lois de l'anatomie ! Vous coloriez ce linéament [5] avec un ton de chair fait d'avance sur votre palette en ayant soin de tenir un côté plus sombre que l'autre, et parce que vous regardez de temps en temps une femme nue qui se tient debout sur une table,

---

1. L'action se situe en 1612, soit deux ans après l'assassinat du roi Henri IV. Les guerres de Religion étaient à peine terminées (Édit de Nantes, 1598) et l'autorité royale avait été battue en brèche par les troubles de la Ligue.
2. Sainte qui, après une vie de débauche, se retira au désert. Mais n'ayant pas de quoi payer la traversée, elle dut, une dernière fois, se prostituer au batelier qui assurait le passage. Un tel tableau n'a jamais été peint par Porbus.
3. Expression empruntée à la chasse. Désigne les branches qu'on a « brisées », sans les couper, pour retrouver la trace d'un animal.
4. Fam. : esquissée, ébauchée.
5. Trait du visage.

vous croyez avoir copié la nature, vous vous imaginez
être des peintres et avoir dérobé le secret de Dieu [1] !...
Prrr ! Il ne suffit pas pour être un grand poète de savoir
à fond la syntaxe et de ne pas faire de fautes de langue !
Regarde ta sainte, Porbus ? Au premier aspect elle semble admirable, mais au second coup d'œil on s'aperçoit
qu'elle est collée au fond de la toile et qu'on ne pourrait
pas faire le tour de son corps ; c'est une silhouette [2] qui
n'a qu'une seule face, c'est une apparence découpée qui
ne saurait se retourner, ni changer de position. Je ne sens
pas d'air entre ce bras et le champ du tableau ; l'espace
et la profondeur manquent [3] ; cependant tout est bien en
perspective, et la dégradation aérienne [4] est exactement
observée : mais malgré de si louables efforts, je ne saurais croire que ce beau corps soit animé par le tiède souffle de la vie. Il me semble que si je portais la main sur
cette gorge d'une si ferme rondeur, je la trouverais froide
comme du marbre ! Non, mon ami, le sang ne court pas
sous cette peau d'ivoire, l'existence ne gonfle pas de sa
rosée de pourpre les veines fibrilles [5] qui s'entrelacent
en réseau sous la transparence ambrée des tempes et de

---

1. Thèses très proches de celles de Diderot, qui écrit par exemple :
« Et ces sept ans passés à l'Académie à dessiner d'après le modèle,
les croyez-vous bien employés ? »
2. Anachronisme involontaire. La scène décrite par Balzac se situe
en 1612, et le contrôleur général Silhouette, dont le mot tire son origine, n'entra en fonctions qu'en 1759 !
3. Th. Gautier, dans son article sur la *Sainte-Cécile* de Delaroche,
le 10 mars 1837, écrivait : « Il n'y a pas un souffle d'air entre la tête
de la sainte et le fond d'outre-mer sur lequel elle se détache. »
4. Diminution progressive des couleurs du ciel.
5. Balzac veut sans doute évoquer les lacis de petites veines coulant
juste sous la peau du visage ou de la poitrine.

Albrecht Dürer, *Autoportrait jeune.*
Musée du Louvre.

la poitrine. Cette place palpite, mais cette autre est immobile ; la vie et la mort luttent dans chaque morceau : ici c'est une femme, là une statue, plus loin un cadavre. Ta création est incomplète. Tu n'as pu souffler qu'une portion de ton âme à ton œuvre chérie. Le flambeau de Prométhée[1] s'est éteint plus d'une fois dans tes mains, et beaucoup d'endroits de ton tableau n'ont pas été touchés par la flamme céleste.

— Mais pourquoi, mon cher maître ? dit respectueusement Porbus au vieillard, tandis que le jeune homme avait peine à réprimer une forte envie de le battre.

— Ah ! voilà, dit le petit vieillard. Tu as flotté indécis entre les deux systèmes, entre le dessin et la couleur, entre le flegme[2] minutieux, la raideur précise des vieux maîtres allemands et l'ardeur éblouissante, l'heureuse abondance des peintres italiens. Tu as voulu imiter à la fois Hans Holbein[3] et Titien[4], Albrecht Dürer[5] et Paul Véronèse[6]. Certes c'était là une magnifique ambition ! Mais qu'est-il arrivé ? Tu n'as eu ni le charme sévère de la sécheresse, ni les décevantes[7] magies du clair-obs-

---

1. Célèbre figure de la mythologie grecque. Pour donner la vie à la statue humaine qu'il avait façonnée avec du limon, il déroba le feu dont, au ciel, il était le dépositaire. En punition, Zeus le fit enchaîner sur le Caucase, où un aigle venait lui dévorer le foie. Il fut finalement délivré par Héraklès.

2. La froideur, l'impassibilité.

3. Célèbre portraitiste allemand (1497-1543).

4. Illustre peintre de la Renaissance italienne (1490-1576).

5. Un des maîtres de l'école allemande (1471-1528).

6. Un des principaux représentants de l'école vénitienne (1528-1588).

7. Trompeuses, mensongères.

cur[1]. Dans cet endroit, comme un bronze en fusion qui crève son trop faible moule, la riche et blonde couleur du Titien a fait éclater le maigre contour d'Albrecht Dürer où tu l'avais coulée. Ailleurs, le linéament a résisté et contenu les magnifiques débordements de la palette vénitienne. Ta figure n'est ni parfaitement dessinée, ni parfaitement peinte, et porte partout les traces de cette malheureuse indécision. Si tu ne te sentais pas assez fort pour fondre ensemble au feu de ton génie les deux manières rivales, il fallait opter franchement entre l'une ou l'autre, afin d'obtenir l'unité[2] qui simule une des conditions de la vie. Tu n'es vrai que dans les milieux, tes contours sont faux, ne s'enveloppent pas et ne promettent rien par derrière. Il y a de la vérité ici, dit le vieillard en montrant la poitrine de la sainte. — Puis, ici, reprit-il en indiquant le point où sur le tableau finissait l'épaule. — Mais là, fit-il en revenant au milieu de la gorge, tout est faux. N'analysons rien, ce serait faire ton désespoir. »

Le vieillard s'assit sur une escabelle, se tint la tête dans les mains et resta muet.

« Maître, lui dit Porbus, j'ai cependant bien étudié sur le nu cette gorge ; mais, pour notre malheur, il est des effets vrais dans la nature qui ne sont plus probables[3] sur la toile...

— La mission de l'art n'est pas de copier la nature, mais de l'exprimer ! Tu n'es pas un vil copiste, mais

---

1. En italien, *chiaro-oscuro*. Effet pictural pour mettre ombre et lumière en vive opposition, de façon à accentuer le relief de certaines parties du tableau.

2. La cohérence, le suivi.

3. Vraisemblables.

un poète[1] ! s'écria vivement le vieillard en interrompant Porbus par un geste despotique. Autrement, un sculpteur serait quitte de tous ses travaux en moulant une femme ! Hé bien, essaie de mouler la main de ta maîtresse et de la poser devant toi, tu trouveras un horrible cadavre sans aucune ressemblance, et tu seras forcé d'aller trouver le ciseau[2] de l'homme qui, sans te la copier exactement, t'en figurera le mouvement et la vie. Nous avons à saisir l'esprit, l'âme, la physionomie[3] des choses et des êtres. Les effets ! les effets ! mais ils sont les accidents de la vie[4], et non la vie. Une main, puisque j'ai pris cet exemple, une main ne tient pas seulement au corps, elle exprime et continue une pensée qu'il faut saisir et rendre. Ni le peintre, ni le poète, ni le sculpteur ne doivent séparer l'effet de la cause qui sont invinciblement l'un dans l'autre ! La véritable lutte est là. Beaucoup de peintres triomphent instinctivement sans connaître ce thème de l'art. Vous dessinez une femme, mais vous ne la voyez pas ! Ce n'est pas ainsi que l'on parvient à forcer l'arcane[5] de la nature. Votre main reproduit, sans que vous y pensiez, le modèle que vous avez copié chez votre maître. Vous ne descendez pas assez dans l'intimité de la forme[6], vous ne la poursuivez pas avec assez

---

1. Au sens étymologique : un *créateur*. Le mot, un peu plus loin, est opposé à celui de *peintre*.

2. Instrument de sculpteur.

3. Balzac était féru de « physiognomonie », science qui prétendait étudier le caractère d'après les traits du visage.

4. Les événements sans importance, les *apparences* et non l'*essence* des choses. Balzac s'exprime ici en *philosophe*.

5. Le secret : terme d'alchimie, science dont Balzac décrit les effets maléfiques dans *La Recherche de l'absolu*.

6. Par opposition à la *matière*.

d'amour et de persévérance dans ses détours et dans ses fuites. La beauté est une chose sévère et difficile qui ne se laisse point atteindre ainsi ; il faut attendre ses heures, l'épier, la presser et l'enlacer étroitement pour la forcer à se rendre. La forme est un Protée bien plus insaisissable et plus fertile en replis que le Protée de la fable[1] ; ce n'est qu'après de longs combats qu'on peut la contraindre à se montrer sous son véritable aspect ; vous autres, vous vous contentez de la première apparence qu'elle vous livre, ou tout au plus de la seconde, ou de la troisième ; ce n'est pas ainsi qu'agissent les victorieux lutteurs[2] ! Ces peintres invaincus ne se laissent pas tromper à tous ces faux-fuyants ; ils persévèrent jusqu'à ce que la nature en soit réduite à se montrer toute nue et dans son véritable esprit. Ainsi a procédé Raphaël[3], dit le vieillard en ôtant son bonnet de velours noir, pour exprimer le respect que lui inspirait le roi de l'art ; sa grande supériorité vient du sens intime qui, chez lui, semble vouloir briser la forme. La forme est, dans ses figures, ce qu'elle est chez nous, un truchement[4] pour se communiquer des idées, des sensations, une vaste poésie. Toute figure est un monde, un portrait dont le modèle est apparu dans une vision sublime, teint de lumière, désigné par une voix intérieure, dépouillé par un doigt céleste qui a montré, dans le passé de toute une

---

1. Divinité de la mythologie grecque, qui prenait la couleur et la forme de tout ce qui l'entourait.
2. Noter la place de l'épithète, qui, de nos jours, serait placée plutôt après le substantif.
3. Raphaël Sanzio (1483-1520), un des plus grands maîtres de la Renaissance italienne. Balzac lui vouait un véritable culte.
4. Un moyen de *traduire* une idée, un sentiment.

vie, les sources de l'expression. Vous faites à vos femmes de belles robes de chair, de belles draperies de cheveux, mais où est le sang[1] qui engendre le calme ou la passion et qui cause des effets particuliers ? Ta sainte est une femme brune, mais ceci, mon pauvre Porbus, est d'une blonde ! Vos figures sont alors de pâles fantômes coloriés que vous nous promenez devant les yeux, et vous appelez cela de la peinture et de l'art. Parce que vous avez fait quelque chose qui ressemble plus à une femme qu'à une maison, vous pensez avoir touché le but, et, tout fiers de n'être plus obligés d'écrire à côté de vos figures, *currus venustus*[2] ou *pulcher homo*[3], comme les premiers peintres, vous vous imaginez être des artistes merveilleux ! Ha ! ha ! vous n'y êtes pas encore, mes braves compagnons, il vous faudra user bien des crayons, couvrir bien des toiles avant d'arriver[4]. Assurément, une femme porte sa tête de cette manière, elle tient sa jupe ainsi, ses yeux s'alanguissent et se fondent avec cet air de douceur résignée ; l'ombre palpitante des cils flotte ainsi sur les joues ! C'est cela, et ce n'est pas cela. Qu'y manque-t-il ? Un rien, mais ce rien est tout. Vous avez l'apparence de la vie, mais vous n'exprimez pas son trop-plein qui déborde, ce je ne sais quoi qui est l'âme peut-être et qui flotte nuageusement sur l'enveloppe ; enfin, cette fleur de vie que Titien et Raphaël ont surprise. En partant du point extrême où vous arrivez, on ferait peut-être d'excellente peinture ;

---

1. Selon les Anciens, le sang était une des quatre « humeurs » qui déterminaient le caractère. Ici : la chaleur de la vie.
2. En latin : char gracieux, élégant.
3. En latin : bel homme.
4. Arriver à vos fins, réussir.

mais vous vous lassez trop vite. Le vulgaire admire, et le vrai connaisseur sourit. Ô Mabuse[1] ! ô mon maître ! ajouta ce singulier personnage, tu es un voleur, tu as emporté la vie avec toi ! — À cela près, reprit-il, cette toile vaut mieux que les peintures de ce faquin[2] de Rubens, avec ses montagnes de viandes flamandes, saupoudrées de vermillon, ses ondées de chevelures rousses, et son tapage de couleurs. Au moins, avez-vous là couleur, sentiment et dessin, les trois parties essentielles de l'art.

— Mais cette sainte est sublime, bon homme[3] ! s'écria d'une voix forte le jeune homme en sortant d'une rêverie profonde. Ces deux figures, celle de la sainte et celle du batelier, ont une finesse d'intention ignorée des peintres italiens[4]. Je n'en sais pas un seul qui eût inventé l'indécision du batelier.

— Ce petit drôle[5] est-il à vous ? demanda Porbus au vieillard.

— Hélas ! maître, pardonnez à ma hardiesse, répondit le néophyte en rougissant. Je suis inconnu, mais barbouilleur d'instinct, et arrivé depuis peu dans cette ville, source de toute science.

— À l'œuvre ! » lui dit Porbus en lui présentant un crayon rouge et une feuille de papier.

L'inconnu copia lestement la Marie au trait.

---

1. Jean Gossaert (1478-1535), peintre flamand, dit *Mabuse*, c'est-à-dire originaire du pays meusien (en réalité, il était né à Maubeuge).
2. Littéralement : portefaix. Ici : homme de rien, nullité. Une variante indique que Balzac a écrit ensuite : « le *sieur* Rubens ».
3. Brave homme, peut-être un peu simplet.
4. Poussin, âgé de 18 ans en 1612, n'a pas encore fait de voyage en Italie.
5. Coquin, vaurien.

« Oh ! oh ! s'écria le vieillard. Votre nom ? »

Le jeune homme écrivit au bas *Nicolas Poussin*[1].

« Voilà qui n'est pas mal pour un commençant, dit le singulier personnage qui discourait si follement. Je vois que l'on peut parler peinture devant toi. Je ne te blâme pas d'avoir admiré la sainte de Porbus. C'est un chef-d'œuvre pour tout le monde, et les initiés aux plus intimes arcanes de l'art peuvent seuls découvrir en quoi elle pèche. Mais puisque tu es digne de la leçon, et capable de comprendre, je vais te faire voir combien peu de chose il faudrait pour compléter cette œuvre. Sois tout œil et tout attention, une pareille occasion de t'instruire ne se représentera peut-être jamais. Ta palette, Porbus ? »

Porbus alla chercher palette et pinceaux. Le petit vieillard retroussa ses manches avec un mouvement de brusquerie convulsive, passa son pouce dans la palette diaprée[2] et chargée de tons que Porbus lui tendait ; il lui arracha des mains plutôt qu'il ne les prit une poignée de brosses de toutes dimensions, et sa barbe taillée en pointe se remua soudain par des efforts menaçants qui exprimaient le prurit[3] d'une amoureuse fantaisie. Tout en chargeant son pinceau de couleur, il grommelait entre ses dents : « Voici des tons bons à jeter par la fenêtre avec celui qui les a composés, ils sont d'une crudité et d'une fausseté révoltantes ; comment peindre avec cela ? » Puis il trempait avec une vivacité fébrile la pointe de la brosse dans les différents tas de couleurs

---

1. Sans doute le plus grand peintre français du XVIIe siècle (1594-1665).

2. Multicolore, porteuse de couleurs variées.

3. Démangeaison (terme médical).

dont il parcourait quelquefois la gamme entière plus rapidement qu'un organiste de cathédrale ne parcourt l'étendue de son clavier à l'*O Filii*[1] de Pâques.

Porbus et Poussin se tenaient immobiles chacun d'un côté de la toile, plongés dans la plus véhémente contemplation.

« Vois-tu, jeune homme, disait le vieillard sans se détourner, vois-tu comme au moyen de trois ou quatre touches et d'un petit glacis[2] bleuâtre, on pouvait faire circuler l'air autour de la tête de cette pauvre sainte qui devait étouffer et se sentir prise dans cette atmosphère épaisse ? Regarde comme cette draperie voltige à présent et comme on comprend que la brise la soulève ! Auparavant elle avait l'air d'une toile empesée et soutenue par des épingles. Remarques-tu comme le luisant satiné[3] que je viens de poser sur la poitrine rend bien la grasse souplesse d'une peau de jeune fille, et comme le ton mélangé de brun rouge et d'ocre calciné[4] réchauffe la grise froideur de cette grande ombre où le sang se figeait au lieu de courir. Jeune homme, jeune homme, ce que je te montre là, aucun maître ne pourrait te l'enseigner. Mabuse seul possédait le secret de donner de la vie aux figures. Mabuse n'a eu qu'un élève, qui est moi. Je n'en ai pas eu, et je suis vieux ! Tu as assez d'intelligence pour deviner le reste, par ce que je te laisse entrevoir. »

---

1. Titre d'un hymne médiéval (*Ô Filii et filiae*) chanté à l'occasion de Pâques.
2. Mince couche de peinture transparente, destinée à donner une sorte de reflet irisé à une couleur qui a déjà séché.
3. Th. Gautier emploie la même expression dans un article de *La Presse* en décembre 1836.
4. Rouge très sombre, comme d'une ocre passée au four.

Tout en parlant, l'étrange vieillard touchait à toutes les parties du tableau : ici deux coups de pinceau, là un seul, mais toujours si à propos qu'on aurait dit une nouvelle peinture, mais une peinture trempée de lumière. Il travaillait avec une ardeur si passionnée que la sueur se perlait[1] sur son front dépouillé, il allait si rapidement par de petits mouvements si impatients, si saccadés, que pour le jeune Poussin il semblait qu'il y eût dans le corps de ce bizarre personnage un démon qui agissait par ses mains en les prenant fantastiquement contre le gré de l'homme : l'éclat surnaturel de ses yeux, ses convulsions qui semblaient l'effet d'une résistance donnaient à cette idée un semblant de vérité qui devait agir sur une jeune imagination. Il allait disant : « Paf, paf, paf[2] ! voilà comment cela se beurre, jeune homme ! venez, mes petites touches, faites-moi roussir ce ton glacial ! Allons donc ! Pon ! pon ! pon ! » disait-il en réchauffant les parties où il avait signalé un défaut de vie, en faisant disparaître par quelques plaques de couleur les différences de tempérament, et rétablissant l'unité de ton que voulait une ardente Égyptienne.

« Vois-tu, petit, il n'y a que le dernier coup de pinceau qui compte. Porbus en a donné cent, moi, je n'en donne qu'un. Personne ne nous sait gré de ce qui est dessous. Sache bien cela ! »

Enfin ce démon s'arrêta, et se tournant vers Porbus et Poussin muets d'admiration, il leur dit : « Cela ne vaut

1. Parut sur le front sous la forme de *perles* (cet emploi pronominal est rare).
2. On notera le ton enjoué de Frenhofer, heureux de jouer au « maître » devant un jeune disciple.

pas encore ma Belle Noiseuse[1], cependant on pourrait mettre son nom au bas d'une pareille œuvre. Oui, je la signerais, ajouta-t-il en se levant pour prendre un miroir dans lequel il la regarda. — Maintenant, allons déjeuner, dit-il. Venez tous deux à mon logis. J'ai du jambon fumé, du bon vin ! Hé ! hé ! malgré le malheur des temps[2], nous causerons peinture ! Nous sommes de force. Voici un petit bonhomme, ajouta-t-il en frappant sur l'épaule de Nicolas Poussin, qui a de la facilité. »

Apercevant alors la piètre casaque du Normand[3], il tira de sa ceinture une bourse de peau, y fouilla, prit deux pièces d'or, et les lui montrant : « J'achète ton dessin, dit-il.

— Prends, dit Porbus à Poussin en le voyant tressaillir et rougir de honte, car il avait la fierté du pauvre. Prends donc, il a dans son escarcelle la rançon de deux rois ! »

Tous trois descendirent de l'atelier et cheminèrent en devisant sur les arts, jusqu'à une belle maison de bois, située près du pont Saint-Michel, et dont les ornements, le heurtoir, les encadrements de croisée, les arabesques émerveillèrent Poussin. Le peintre en espérance se trouva tout à coup dans une salle basse, devant un bon feu, près d'une table chargée de mets appétissants, et par un bonheur inouï, dans la compagnie de deux grands artistes pleins de bonhomie.

---

1. Querelleuse (cf. « chercher noise »). Il a été tourné un film portant le titre de ce tableau imaginaire.
2. Cf. p. 38 n. 1, « ce temps de trouble et de révolutions ».
3. Poussin était né aux Andelys, localité située entre Evreux et Rouen. « La piètre casaque » rappelle la pauvreté du jeune Poussin (cf. p. 32, n. 1).

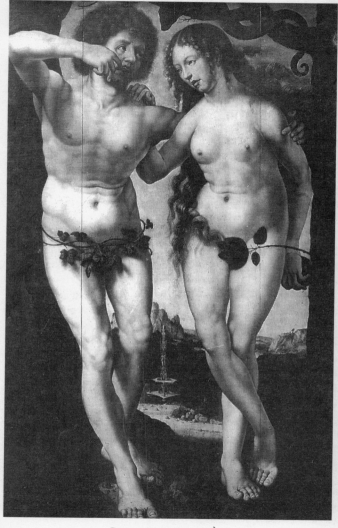

Gossaert, *Adam et Ève*.
« Jeune homme [...], ne regardez pas trop
cette toile, vous tomberiez dans le désespoir. »

« Jeune homme, lui dit Porbus en le voyant ébahi devant un tableau, ne regardez pas trop cette toile, vous tomberiez dans le désespoir. »

C'était l'*Adam* [1] que fit Mabuse pour sortir de prison où ses créanciers le retinrent si longtemps. Cette figure offrait, en effet, une telle puissance de réalité, que Nicolas Poussin commença dès ce moment à comprendre le véritable sens des confuses paroles dites par le vieillard. Celui-ci regardait le tableau d'un air satisfait, mais sans enthousiasme, et semblait dire : « J'ai fait mieux ! »

« Il y a de la vie, dit-il, mon pauvre maître s'y est surpassé ; mais il manquait encore un peu de vérité dans le fond de la toile. L'homme est bien vivant, il se lève et va venir à nous. Mais l'air, le ciel, le vent que nous respirons, voyons et sentons, n'y sont pas. Puis il n'y a encore là qu'un homme ! Or le seul homme qui soit immédiatement sorti des mains de Dieu, devait avoir quelque chose de divin qui manque. Mabuse le disait lui-même avec dépit quand il n'était pas ivre. »

Poussin regardait alternativement le vieillard et Porbus avec une inquiète curiosité. Il s'approcha de celui-ci comme pour lui demander le nom de leur hôte ; mais le peintre se mit un doigt sur les lèvres d'un air de mystère, et le jeune homme, vivement intéressé, garda le silence, espérant que tôt ou tard quelque mot lui permettrait de deviner le nom de son hôte, dont la richesse et les talents étaient suffisamment attestés par le respect que Porbus lui témoignait, et par les merveilles entassées dans cette salle.

---

1. Il s'agit probablement d'un tableau intitulé *Adam et Eve* (musée de Berlin). L'ivrognerie du peintre le conduisit plusieurs fois en prison (cf. infra : « quand il n'était pas ivre »).

Poussin, voyant sur la sombre boiserie de chêne un magnifique portrait de femme, s'écria : « Quel beau Giorgione[1] !

— Non ! répondit le vieillard, vous voyez un de mes premiers barbouillages.

— Tudieu ! je suis donc chez le dieu de la peinture », dit naïvement le Poussin.

Le vieillard sourit comme un homme familiarisé depuis longtemps avec cet éloge.

« Maître Frenhofer[2] ! dit Porbus, ne sauriez-vous faire venir un peu de votre bon vin du Rhin pour moi ?

— Deux pipes[3], répondit le vieillard. Une pour m'acquitter du plaisir que j'ai eu ce matin en voyant ta jolie pécheresse, et l'autre comme un présent d'amitié.

— Ah ! si je n'étais pas toujours souffrant, reprit Porbus, et si vous vouliez me laisser voir votre *maîtresse*, je pourrais faire quelque peinture haute, large et profonde, où les figures seraient de grandeur naturelle.

— Montrer mon œuvre, s'écria le vieillard tout ému. Non, non, je dois la perfectionner encore. Hier, vers le soir, dit-il, j'ai cru avoir fini. Ses yeux me semblaient humides, sa chair était agitée. Les tresses de ses cheveux remuaient. Elle respirait ! Quoique j'aie trouvé le moyen de réaliser sur une toile plate le relief et la rondeur de la nature, ce matin, au jour, j'ai reconnu mon erreur. Ah ! pour arriver à ce résultat glorieux, j'ai étudié à fond les grands maîtres du coloris, j'ai analysé et soulevé couche par couche les tableaux de Titien, ce roi de la lumière ;

---

1. Peintre italien, élève de Bellini (1477-1510).
2. Nom imaginaire, mais de consonance volontairement germanique.
3. Ancienne mesure de capacité, variant suivant les régions.

Giorgione, *La Tempête*,
Galerie de l'Accademia, Venise.

j'ai, comme ce peintre souverain, ébauché ma figure dans un ton clair avec une pâte souple et nourrie, car l'ombre n'est qu'un accident [1], retiens cela, petit. Puis je suis revenu sur mon œuvre, et au moyen de demi-teintes et de glacis dont je diminuais de plus en plus la transparence, j'ai rendu les ombres les plus vigoureuses et jusqu'aux noirs les plus fouillés ; car les ombres des peintres ordinaires sont d'une autre nature que leurs tons éclairés ; c'est du bois, de l'airain, c'est tout ce que vous voudrez, excepté de la chair dans l'ombre. On sent que si leur figure changeait de position, les places ombrées ne se nettoieraient pas et ne deviendraient pas lumineuses. J'ai évité ce défaut où beaucoup d'entre les plus illustres sont tombés, et chez moi la blancheur se révèle sous l'opacité de l'ombre la plus soutenue ! Comme une foule d'ignorants qui s'imaginent dessiner correctement parce qu'ils font un trait soigneusement ébarbé [2], je n'ai pas marqué sèchement les bords extérieurs de ma figure et fait ressortir jusqu'au moindre détail anatomique, car le corps humain ne finit pas par des lignes [3]. En cela, les sculpteurs peuvent plus approcher de la vérité que nous autres. La nature comporte une suite de rondeurs qui s'enveloppent les unes dans les autres. Rigoureusement parlant, le dessin n'existe pas ! Ne riez pas, jeune homme ! Quelque singulier que vous paraisse ce mot, vous en comprendrez quelque jour les raisons. La ligne est le moyen par lequel l'homme se rend compte de l'effet de la lumière sur les objets ; mais il n'y a pas de lignes dans la nature où tout est plein : c'est

---

1. Au sens philosophique : par opposition avec ce qui est *l'essence* d'un être ou d'un objet.
2. Sans bavures, net, lisse.
3. A la différence de l'écorché.

en modelant qu'on dessine, c'est-à-dire qu'on détache les choses du milieu où elles sont, la distribution du jour donne seule l'apparence au corps ! Aussi, n'ai-je pas arrêté les linéaments, j'ai répandu sur les contours un nuage de demi-teintes blondes et chaudes qui font que l'on ne saurait précisément poser le doigt sur la place où les contours se rencontrent avec les fonds. De près, ce travail semble cotonneux et paraît manquer de précision, mais à deux pas, tout se raffermit, s'arrête et se détache ; le corps tourne, les formes deviennent saillantes, l'on sent l'air circuler tout autour. Cependant je ne suis pas encore content, j'ai des doutes. Peut-être faudrait-il ne pas dessiner un seul trait, et vaudrait-il mieux attaquer une figure par le milieu en s'attachant d'abord aux saillies les plus éclairées, pour passer ensuite aux portions plus sombres. N'est-ce pas ainsi que procède le soleil, ce divin peintre de l'univers. Oh ! nature, nature ! qui jamais t'a surprise dans tes fuites ! Tenez, le trop de science, de même que l'ignorance, arrive à une négation [1]. Je doute de mon œuvre ! »

Le vieillard fit une pause, puis il reprit : « Voilà dix ans, jeune homme, que je travaille ; mais que sont dix petites années quand il s'agit de lutter avec la nature ? Nous ignorons le temps qu'employa le seigneur Pygmalion [2] pour faire la seule statue qui ait marché ! »

Le vieillard tomba dans une rêverie profonde, et resta les yeux fixes en jouant machinalement avec son couteau.

---

1. Frenhofer livre ici la clef du récit de Balzac et annonce son échec final.
2. Figure légendaire. Sculpteur, il tomba amoureux de la statue de Galatée, tout juste sortie de ses mains. Sur sa prière, Vénus donna la vie à la statue, que Pygmalion put ainsi épouser.

« Le voilà en conversation avec son *esprit* », dit Porbus à voix basse.

À ce mot, Nicolas Poussin se sentit sous la puissance d'une inexplicable curiosité d'artiste. Ce vieillard aux yeux blancs, attentif et stupide, devenu pour lui plus qu'un homme, lui apparut comme un génie fantasque qui vivait dans une sphère inconnue. Il réveillait mille idées confuses en l'âme. Le phénomène moral de cette espèce de fascination ne peut pas plus se définir qu'on ne peut traduire l'émotion excitée par un chant qui rappelle la patrie au cœur de l'exilé. Le mépris que ce vieil homme affectait d'exprimer pour les plus belles tentatives de l'art, sa richesse, ses manières, les déférences de Porbus pour lui, cette œuvre tenue si longtemps secrète, œuvre de patience, œuvre de génie sans doute, s'il fallait en croire la tête de vierge que le jeune Poussin avait si franchement admirée, et qui belle encore, même près de l'Adam de Mabuse, attestait le faire [1] impérial d'un des princes de l'art ; tout en ce vieillard allait au-delà des bornes de la nature humaine. Ce que la riche imagination de Nicolas Poussin put saisir de clair et de perceptible en voyant cet être surnaturel, était une complète image de la nature artiste, de cette nature folle à laquelle tant de pouvoirs sont confiés, et qui trop souvent en abuse, emmenant la froide raison, les bourgeois et même quelques amateurs, à travers mille routes pierreuses, où, pour eux, il n'y a rien ; tandis que folâtre en ses fantaisies, cette fille aux ailes blanches y découvre des épopées, des châteaux, des œuvres d'art. Nature moqueuse et bonne, féconde et pauvre ! Ainsi, pour l'enthousiaste Poussin,

---

1. Le savoir-faire. Balzac use ici d'un style emphatique, qui sent le cliché.

ce vieillard était devenu, par une transfiguration subite, l'art lui-même, l'art avec ses secrets, ses fougues et ses rêveries[1].

« Oui, mon cher Porbus, reprit Frenhofer, il m'a manqué jusqu'à présent de rencontrer une femme irréprochable, un corps dont les contours soient d'une beauté parfaite, et dont la carnation... Mais où est-elle vivante, dit-il en s'interrompant, cette introuvable Vénus des anciens, si souvent cherchée, et dont nous rencontrons à peine quelques beautés éparses ? Oh ! pour voir un moment, une seule fois, la nature divine complète, l'idéal enfin, je donnerais toute ma fortune, mais j'irai te chercher dans tes limbes[2], beauté céleste ! Comme Orphée[3], je descendrai dans l'enfer de l'art pour en ramener la vie. »

« Nous pouvons partir d'ici, dit Porbus à Poussin, il ne nous entend plus, ne nous voit plus !

— Allons à son atelier, répondit le jeune homme émerveillé.

— Oh ! le vieux reître a su en défendre l'entrée. Ses trésors[4] sont trop bien gardés pour que nous puissions y arriver. Je n'ai pas attendu votre avis et votre fantaisie pour tenter l'assaut du mystère.

— Il y a donc un mystère ?

— Oui, répondit Porbus. Le vieux Frenhofer est le

---

1. Balzac, fougueux lui-même, peut penser à son propre cas.
2. Lieu où séjournent les âmes des justes morts avant l'apparition du Sauveur.
3. Chanteur mythique, ayant le don de charmer les dieux, les hommes et même les bêtes fauves. Il descendit aux Enfers pour en faire sortir sa femme, Eurydice.
4. Balzac insiste sur la richesse de Frenhofer.

seul élève que Mabuse ait voulu faire. Devenu son ami, son sauveur, son père, Frenhofer a sacrifié la plus grande partie de ses trésors à satisfaire les passions de Mabuse ; en échange Mabuse lui a légué le secret du relief, le pouvoir de donner aux figures cette vie extraordinaire, cette fleur de nature, notre désespoir éternel ; mais dont il possédait si bien *le faire*, qu'un jour, ayant vendu et bu le damas à fleurs avec lequel il devait s'habiller à l'entrée de Charles-Quint[1], il accompagna son maître avec un vêtement de papier peint en damas[2]. L'éclat particulier de l'étoffe portée par Mabuse surprit l'empereur, qui voulant en faire compliment au protecteur du vieil ivrogne, découvrit la supercherie[3]. Frenhofer est un homme passionné pour notre art, qui voit plus haut et plus loin que les autres peintres. Il a profondément médité sur les couleurs, sur la vérité absolue de la ligne ; mais, à force de recherches, il est arrivé à douter de l'objet même de ses recherches[4]. Dans ses moments de désespoir, il prétend que le dessin n'existe pas et qu'on ne peut rendre avec des traits que des figures géométriques ; ce qui est trop absolu, puisque avec le trait et le noir, qui n'est pas une couleur, on peut faire une figure ; ce qui prouve que notre art est, comme la nature, composé d'une infinité d'éléments : le dessin donne un squelette, la couleur est la vie, mais la vie sans le squelette est une chose plus incomplète que le squelette sans la

---

1. Roi d'Espagne, empereur d'Allemagne (1500-1558).
2. Étoffe brillante, moirée, lissée de façon que les dessins formés par le tissage se voient à l'envers comme à l'endroit. Tissu originaire de Damas, en Syrie.
3. Balzac a trouvé cette anecdote dans un livre de J.-B. Descamps.
4. Ici encore, Balzac annonce discrètement le *dénouement* du récit.

vie. Enfin, il y a quelque chose de plus vrai que tout ceci, c'est que la pratique et l'observation sont tout chez un peintre, et que si le raisonnement et la poésie se querellent avec les brosses, on arrive au doute comme le bonhomme, qui est aussi fou que peintre. Peintre sublime, il a eu le malheur de naître riche, ce qui lui a permis de divaguer. Ne l'imitez pas ! Travaillez ! les peintres ne doivent méditer que les brosses à la main.

— Nous y pénétrerons », s'écria Poussin n'écoutant plus Porbus et ne doutant plus de rien.

Porbus sourit à l'enthousiasme du jeune inconnu, et le quitta en l'invitant à venir le voir.

Nicolas Poussin revint à pas lents vers la rue de la Harpe [1], et dépassa sans s'en apercevoir la modeste hôtellerie où il était logé. Montant avec une inquiète promptitude son misérable escalier, il parvint à une chambre haute, située sous une toiture en colombage [2], naïve et légère couverture des maisons du vieux Paris. Près de l'unique et sombre fenêtre de cette chambre, il vit une jeune fille qui, au bruit de la porte, se dressa soudain par un mouvement d'amour ; elle avait reconnu le peintre à la manière dont il avait attaqué le loquet.

« Qu'as-tu ? lui dit-elle.

— J'ai, j'ai, s'écria-t-il en étouffant de plaisir, que je me suis senti peintre [3] ! J'avais douté de moi jusqu'à pré-

---

1. Dans le Quartier Latin. Existe toujours.
2. Charpente en bois, avec des cavités permettant aux pigeons (colombes) d'y trouver abri. *Naïve* veut dire ici : *naturelle*, d'où *simple*.
3. Peut-être un rappel du cri lancé par le Corrège en regardant la *Sainte-Cécile* de Raphaël : « *Anch'io son pittore* » (« Et moi aussi, je suis peintre »).

sent, mais ce matin j'ai cru en moi-même ! Je puis être un grand homme ! Va, Gillette, nous serons riches, heureux ! Il y a de l'or dans ces pinceaux. »

Mais il se tut soudain. Sa figure grave et vigoureuse perdit son expression de joie quand il compara l'immensité de ses espérances à la médiocrité de ses ressources. Les murs étaient couverts de simples papiers chargés d'esquisses au crayon. Il ne possédait pas quatre toiles propres. Les couleurs avaient alors un haut prix, et le pauvre gentilhomme voyait sa palette à peu près nue. Au sein de cette misère, il possédait et ressentait d'incroyables richesses de cœur, et la surabondance d'un génie dévorant. Amené à Paris par un gentilhomme de ses amis, ou peut-être par son propre talent, il y avait rencontré soudain une maîtresse, une de ces âmes nobles et généreuses qui viennent souffrir près d'un grand homme [1], en épousent les misères et s'efforcent de comprendre leurs caprices ; fortes pour la misère et l'amour, comme d'autres sont intrépides à porter le luxe, à faire parader leur insensibilité. Le sourire errant sur les lèvres de Gillette dorait ce grenier et rivalisait avec l'éclat du ciel. Le soleil ne brillait pas toujours, tandis qu'elle était toujours là, recueillie dans sa passion, attachée à son bonheur, à sa souffrance, consolant le génie qui débordait dans l'amour avant de s'emparer de l'art.

« Écoute, Gillette, viens. »

L'obéissante et joyeuse fille sauta sur les genoux du peintre. Elle était toute grâce, toute beauté, jolie comme

---

1. Comme deviendra l'auteur lui-même. Dans toute cette page Balzac semble rêver d'un avenir lui apportant à la fois la richesse, la gloire et les souffrances inévitables provoquées par un grand destin.

un printemps, parée de toutes les richesses féminines et les éclairant par le feu d'une belle âme.

« Ô Dieu ! s'écria-t-il, je n'oserai jamais lui dire...

— Un secret ? reprit-elle. Oh ! je veux le savoir. »

Le Poussin [1] resta rêveur.

« Parle donc.

— Gillette ! pauvre cœur aimé !

— Oh ! tu veux quelque chose de moi ?

— Oui.

— Si tu désires que je pose encore devant toi comme l'autre jour, reprit-elle d'un petit air boudeur, je n'y consentirai plus jamais ; car, dans ces moments-là, tes yeux ne me disent plus rien. Tu ne penses plus à moi, et cependant tu me regardes.

— Aimerais-tu mieux me voir copier une autre femme ?

— Peut-être, dit-elle, si elle était bien laide.

— Eh bien, reprit le Poussin d'un ton sérieux, si pour ma gloire à venir, si pour me faire grand peintre, il fallait aller poser chez un autre ?

— Tu veux m'éprouver, dit-elle. Tu sais bien que je n'irais pas. »

Le Poussin pencha sa tête sur sa poitrine comme un homme qui succombe à une joie ou à une douleur trop forte pour son âme.

« Écoute, dit-elle en tirant Poussin par la manche de son pourpoint usé, je t'ai dit, Nick [2], que je donnerais ma vie pour toi : mais je ne t'ai jamais promis, moi vivante, de renoncer à mon amour.

— Y renoncer ? s'écria Poussin.

---

1. Expression à l'italienne : *le* Titien, *le* Tintoret.
2. Cette abréviation anglo-américaine de Nicolas est surprenante.

— Si je me montrais ainsi à un autre, tu ne m'aimerais plus. Et, moi-même, je me trouverais indigne de toi. Obéir à tes caprices, n'est-ce pas chose naturelle et simple ? Malgré moi, je suis heureuse, et même fière de faire ta chère volonté. Mais pour un autre ! fi donc.

— Pardonne, ma Gillette, dit le peintre en se jetant à ses genoux. J'aime mieux être aimé que glorieux. Pour moi, tu es plus belle que la fortune et les honneurs. Va, jette mes pinceaux, brûle ces esquisses. Je me suis trompé, ma vocation est de t'aimer. Je ne suis pas peintre, je suis amoureux. Périssent et l'art et tous ses secrets ! »

Elle l'admirait, heureuse, charmée ! Elle régnait, elle sentait instinctivement que les arts étaient oubliés pour elle et jetés à ses pieds comme un grain d'encens.

« Ce n'est pourtant qu'un vieillard, reprit Poussin. Il ne pourra voir que la femme en toi. Tu es si parfaite !

— Il faut bien aimer, s'écria-t-elle prête à sacrifier ses scrupules d'amour pour récompenser son amant de tous les sacrifices qu'il lui faisait. Mais, reprit-elle, ce serait me perdre. Ah ! me perdre pour toi. Oui, cela est bien beau ! mais tu m'oublieras. Oh ! quelle mauvaise pensée as-tu donc eue là !

— Je l'ai eue et je t'aime, dit-il avec une sorte de contrition, mais je suis donc un infâme.

— Consultons le père Hardouin[1] ? dit-elle.

— Oh, non ! que ce soit un secret entre nous deux.

— Eh bien, j'irai ; mais ne sois pas là, dit-elle. Reste

---

1. Nom d'un père jésuite, donc habilité à traiter les « cas de conscience ». Mais né en 1646 (et mort en 1729), il ne pouvait être « consulté » en 1612 !

à la porte, armé de ta dague ; si je crie, entre et tue le peintre. »

Ne voyant plus que son art, le Poussin pressa Gillette dans ses bras :

« Il ne m'aime plus ! » pensa Gillette quand elle se trouva seule.

Elle se repentait déjà de sa résolution. Mais elle fut bientôt en proie à une épouvante plus cruelle que son repentir ; elle s'efforça de chasser une pensée affreuse qui s'élevait dans son cœur. Elle croyait aimer déjà moins le peintre en le soupçonnant moins estimable.

II

CATHERINE LESCAULT[1]

Trois mois après[2] la rencontre du Poussin et de Porbus, celui-ci vint voir maître Frenhofer. Le vieillard était alors en proie à l'un de ces découragements profonds et spontanés dont la cause est, s'il faut en croire les mathématiciens de la médecine, dans une digestion mauvaise, dans le vent, la chaleur ou quelque empâtement des hypocondres[3] ; et, suivant les spiritualistes, dans l'imperfection de notre nature morale ; le bonhomme s'était purement et simplement fatigué à parachever son mystérieux tableau. Il était languissamment assis dans une vaste chaire de chêne sculpté, garnie de cuir noir, et, sans

---

1. Personnage fictif : ici, modèle de *La Belle Noiseuse*.
2. Dans la première version, deux jours seulement séparaient le premier chapitre du deuxième.
3. Parties latérales du ventre, sous les fausses côtes.

quitter son attitude mélancolique, il lança sur Porbus le regard d'un homme qui s'était établi dans son ennui[1].

« Eh bien, maître, lui dit Porbus, l'*outremer*[2] que vous êtes allé chercher à Bruges était-il mauvais ? est-ce que vous n'avez pas su broyer notre nouveau blanc ? votre huile est-elle méchante, ou les pinceaux rétifs ?

— Hélas ! s'écria le vieillard, j'ai cru pendant un moment que mon œuvre était accomplie ; mais je me suis, certes, trompé dans quelques détails, et je ne serai tranquille qu'après avoir éclairci mes doutes. Je me décide à voyager et vais aller en Turquie, en Grèce, en Asie pour y chercher un modèle et comparer mon tableau à diverses natures. Peut-être ai-je là-haut, reprit-il en laissant échapper un sourire de contentement, la nature elle-même. Parfois, j'ai quasi peur qu'un souffle ne me réveille cette femme et qu'elle ne disparaisse. »

Puis il se leva tout à coup, comme pour partir.

« Oh ! oh ! répondit Porbus, j'arrive à temps pour vous éviter la dépense et les fatigues du voyage.

— Comment, demanda Frenhofer étonné.

— Le jeune Poussin est aimé par une femme dont l'incomparable beauté se trouve sans imperfection aucune. Mais, mon cher maître, s'il consent à vous la prêter, au moins faudra-t-il nous laisser voir votre toile. »

Le vieillard resta debout, immobile, dans un état de stupidité[3] parfaite.

« Comment ! s'écria-t-il enfin douloureusement, montrer ma créature, mon épouse ? déchirer le voile dont j'ai

---

1. Sens encore proche de l'étymologie latine : *in-odium*. Abattement profond, voisin du désespoir.
2. Variété de bleu (bleu azur).
3. Étonnement profond.

chastement couvert mon bonheur ? Mais ce serait une
horrible prostitution ! Voilà dix ans que je vis avec cette
femme. Elle est à moi, à moi seul. Elle m'aime. Ne m'a-
t-elle pas souri à chaque coup de pinceau que je lui ai
donné ? Elle a une âme, l'âme dont je l'ai douée. Elle
rougirait si d'autres yeux que les miens s'arrêtaient sur
elle. La faire voir ! mais quel est le mari, l'amant assez
vil pour conduire sa femme au déshonneur ? Quand tu
fais un tableau pour la cour, tu n'y mets pas toute ton
âme, tu ne vends aux courtisans que des mannequins
coloriés. Ma peinture n'est pas une peinture, c'est un
sentiment, une passion ! Née dans mon atelier, elle doit
y rester vierge, et n'en peut sortir que vêtue. La poésie
et les femmes ne se livrent nues qu'à leurs amants ! Pos-
sédons-nous les figures de Raphaël, l'Angélique de
l'Arioste[1], la Béatrix du Dante[2] ? Non ! nous n'en
voyons que les formes ! Eh bien ! l'œuvre que je tiens
là-haut sous mes verrous est une exception dans notre
art ; ce n'est pas une toile, c'est une femme ! une femme
avec laquelle je pleure, je ris, je cause et pense. Veux-tu
que tout à coup je quitte un bonheur de dix années
comme on jette un manteau ? Que tout à coup je cesse
d'être père, amant et Dieu ? Cette femme n'est pas une
créature, c'est une création. Vienne ton jeune homme, je
lui donnerai mes trésors, je lui donnerai des tableaux du
Corrège[3], de Michel-Ange, du Titien, je baiserai la mar-

---

1. L'Arioste, poète italien (1474-1533), auteur du *Roland furieux*.
Dans cette œuvre, Angélique est une jeune fille aimée du héros.
2. Dante Alighieri, poète florentin (1265-1331), auteur de *La Divine
Comédie*, qui inspira à Balzac le titre général de son œuvre *La Comédie humaine*. Dans sa jeunesse, il avait composé de nombreux poèmes
où il célébrait Béatrice.
3. Peintre italien (1489-1534).

Ingres, *Roger délivrant Angélique,*
Musée du Louvre.

que de ses pas dans la poussière ; mais en faire mon rival ? honte à moi ! Ha ! ha ! je suis plus amant encore que je ne suis peintre. Oui, j'aurai la force de brûler ma Catherine à mon dernier soupir ; mais lui faire supporter le regard d'un homme, d'un jeune homme, d'un peintre ? non, non ! Je tuerais le lendemain celui qui l'aurait souillée d'un regard ! Je te tuerais à l'instant, toi, mon ami, si tu ne la saluais pas à genoux ! Veux-tu maintenant que je soumette mon idole aux froids regards et aux stupides critiques des imbéciles ? Ah ! l'amour est un mystère ; il n'a de vie qu'au fond des cœurs, et tout est perdu quand un homme dit même à son ami : "Voilà celle que j'aime !" »

Le vieillard semblait être redevenu jeune ; ses yeux avaient de l'éclat et de la vie ; ses joues pâles étaient nuancées d'un rouge vif, et ses mains tremblaient. Porbus, étonné de la violence passionnée avec laquelle ces paroles furent dites, ne savait que répondre à un sentiment aussi neuf que profond. Frenhofer était-il raisonnable ou fou ? Se trouvait-il subjugué par une fantaisie d'artiste, ou les idées qu'il avait exprimées procédaient-elles de ce fanatisme inexprimable, produit en nous par le long enfantement d'une grande œuvre ? Pouvait-on jamais espérer de transiger avec cette passion bizarre ?

En proie à toutes ces pensées, Porbus dit au vieillard : « Mais n'est-ce pas femme pour femme ? Poussin ne livre-t-il pas sa maîtresse à vos regards ?

— Quelle maîtresse, répondit Frenhofer. Elle le trahira tôt ou tard. La mienne me sera toujours fidèle !

— Eh bien ! reprit Porbus, n'en parlons plus. Mais avant que vous trouviez, même en Asie, une femme aussi belle, aussi parfaite, vous mourrez peut-être sans avoir achevé votre tableau.

— Oh ! il est fini, dit Frenhofer. Qui le verrait, croirait apercevoir une femme couchée sur un lit de velours, sous des courtines[1]. Près d'elle un trépied d'or exhale des parfums. Tu serais tenté de prendre le gland des cordons qui retiennent les rideaux, et il te semblerait voir le sein de Catherine rendre le mouvement de sa respiration. Cependant, je voudrais bien être certain...

— Va en Asie », répondit Porbus en apercevant une sorte d'hésitation dans le regard de Frenhofer. Et Porbus fit quelques pas vers la porte de la salle.

En ce moment, Gillette et Nicolas Poussin étaient arrivés près du logis de Frenhofer. Quand la jeune fille fut sur le point d'y entrer, elle quitta le bras du peintre, et se recula comme si elle eût été saisie par quelque soudain pressentiment.

« Mais que viens-je donc faire ici, demanda-t-elle à son amant d'un son de voix profond et en le regardant d'un œil fixe.

— Gillette, je t'ai laissée maîtresse et veux t'obéir en tout. Tu es ma conscience et ma gloire. Reviens au logis, je serai plus heureux, peut-être, que si tu...

— Suis-je à moi quand tu me parles ainsi ? Oh ! non, je ne suis plus qu'une enfant. — Allons, ajouta-t-elle en paraissant faire un violent effort, si notre amour périt, et si je mets dans mon cœur un long regret, ta célébrité ne sera-t-elle pas le prix de mon obéissance à tes désirs ? Entrons, ce sera vivre encore que d'être toujours comme un souvenir dans ta palette. »

En ouvrant la porte de la maison, les deux amants se rencontrèrent avec Porbus qui, surpris par la beauté de

---

1. Rideaux de lit.

Gillette dont les yeux étaient alors pleins de larmes, la saisit toute tremblante, et l'amenant devant le vieillard : « Tenez, dit-il, ne vaut-elle pas tous les chefs-d'œuvre du monde ? »

Frenhofer tressaillit. Gillette était là, dans l'attitude naïve et simple d'une jeune Géorgienne innocente et peureuse, ravie et présentée par des brigands à quelque marchand d'esclaves. Une pudique rougeur[1] colorait son visage, elle baissait les yeux, ses mains étaient pendantes à ses côtés, ses forces semblaient l'abandonner, et des larmes protestaient contre la violence faite à ša pudeur. En ce moment, Poussin, au désespoir d'avoir sorti ce beau trésor de son grenier, se maudit lui-même. Il devint plus amant qu'artiste, et mille scrupules lui torturèrent le cœur quand il vit l'œil rajeuni du vieillard, qui, par une habitude de peintre, déshabilla pour ainsi dire cette jeune fille en en devinant les formes les plus secrètes. Il revint alors à la féroce jalousie du véritable amour.

« Gillette, partons ! » s'écria-t-il.

À cet accent, à ce cri, sa maîtresse joyeuse leva les yeux sur lui, le vit, et courant dans ses bras :

« Ah ! tu m'aimes donc », répondit-elle en fondant en larmes.

Après avoir eu l'énergie de taire sa souffrance, elle manquait de force pour cacher son bonheur.

« Oh ! laissez-la-moi pendant un moment, dit le vieux peintre, et vous la comparerez à ma Catherine. Oui, j'y consens. »

Il y avait encore de l'amour dans le cri de Frenhofer. Il semblait avoir de la coquetterie pour son semblant de

---

1. Peut-être une réminiscence inconsciente de Racine : « Une noble pudeur colorait son visage » (*Phèdre*).

femme, et jouir par avance du triomphe que la beauté de sa vierge [1] allait remporter sur celle d'une vraie jeune fille.

« Ne le laissez pas se dédire, s'écria Porbus en frappant sur l'épaule de Poussin. Les fruits de l'amour passent vite, ceux de l'art sont immortels.

— Pour lui, répondit Gillette en regardant attentivement le Poussin et Porbus, ne suis-je donc pas plus qu'une femme ? » Elle leva la tête avec fierté ; mais quand, après avoir jeté un coup d'œil étincelant à Frenhofer, elle vit son amant occupé à contempler de nouveau le portrait qu'il avait pris naguère pour un Giorgione : « Ah ! dit-elle, montons ! Il ne m'a jamais regardée ainsi.

— Vieillard, reprit Poussin tiré de sa méditation par la voix de Gillette, vois cette épée, je la plongerai dans ton cœur au premier mot de plainte que prononcera cette jeune fille, je mettrai le feu à ta maison, et personne n'en sortira. Comprends-tu ? »

Nicolas Poussin était sombre. Sa parole terrible, son attitude, son geste consolèrent Gillette qui lui pardonna presque de la sacrifier à la peinture et à son glorieux avenir. Porbus et Poussin restèrent à la porte de l'atelier, se regardant l'un l'autre en silence. Si, d'abord, le peintre de la Marie égyptienne se permit quelques exclamations : « Ah ! elle se déshabille. Il lui dit de se mettre au jour ! Il la compare ! » bientôt il se tut à l'aspect du Poussin dont le visage était profondément triste ; et quoique les vieux peintres n'aient plus de ces scrupules, si petits en présence de l'art, il les admira tant ils étaient

_____

1. Celle — imaginaire — qu'il essaie de représenter sur son tableau, et non pas « une vraie jeune fille ».

naïfs et jolis. Le jeune homme avait la main sur la garde de sa dague et l'oreille presque collée à la porte. Tous deux, dans l'ombre et debout, ressemblaient ainsi à deux conspirateurs attendant l'heure de frapper un tyran.

« Entrez, entrez, leur dit le vieillard rayonnant de bonheur. Mon œuvre est parfaite, et maintenant je puis la montrer avec orgueil. Jamais peintre, pinceaux, couleurs, toile et lumière ne feront une rivale à *Catherine Lescault* ! »

En proie à une vive curiosité, Porbus et Poussin coururent au milieu d'un vaste atelier couvert de poussière, où tout était en désordre, où ils virent çà et là des tableaux accrochés aux murs. Ils s'arrêtèrent tout d'abord devant une figure de femme de grandeur naturelle, demi-nue, et pour laquelle ils furent saisis d'admiration.

« Oh ! ne vous occupez pas de cela, dit Frenhofer, c'est une toile que j'ai barbouillée pour étudier une pose, ce tableau ne vaut rien. Voilà mes erreurs », reprit-il en leur montrant de ravissantes compositions suspendues aux murs, autour d'eux.

À ces mots, Porbus et Poussin, stupéfaits de ce dédain pour de telles œuvres, cherchèrent le portrait annoncé, sans réussir à l'apercevoir.

« Eh bien ! le voilà ! leur dit le vieillard dont les cheveux étaient en désordre, dont le visage était enflammé par une exaltation surnaturelle, dont les yeux pétillaient, et qui haletait comme un jeune homme ivre d'amour. — Ah ! ah ! s'écria-t-il, vous ne vous attendiez pas à tant de perfection ! Vous êtes devant une femme et vous cherchez un tableau. Il y a tant de profondeur sur cette toile, l'air y est si vrai, que vous ne pouvez plus le distinguer de l'air qui nous environne. Où est l'art ? perdu, disparu ! Voilà les formes mêmes d'une jeune fille. N'ai-je pas bien saisi la couleur, le vif de la ligne qui paraît terminer le corps[1] ? N'est-ce pas le même phénomène que nous présentent les objets qui sont dans l'atmosphère comme les poissons dans l'eau ? Admirez comme les contours se détachent du fond ? Ne semble-t-il pas que vous puissiez passer la main sur ce dos ? Aussi, pendant sept années, ai-je étudié les effets de l'accouplement du jour et des objets. Et ces cheveux, la lumière ne les inonde-t-elle pas ? Mais elle a respiré, je crois ! Ce sein, voyez ? Ah ! qui ne voudrait l'adorer à genoux ? Les chairs palpitent. Elle va se lever, attendez.

— Apercevez-vous quelque chose ? demanda Poussin à Porbus.

— Non. Et vous !

— Rien. »

Les deux peintres laissèrent le vieillard à son extase, regardèrent si la lumière, en tombant d'aplomb sur la toile qu'il leur montrait, n'en neutralisait pas tous les effets ; ils examinèrent alors la peinture en se mettant à droite, à gauche, de face, en se baissant et se levant tour à tour.

« Oui, oui, c'est bien une toile, leur disait Frenhofer en se méprenant sur le but de cet examen scrupuleux. Tenez, voilà le châssis, le chevalet, enfin voici mes couleurs, mes pinceaux. » Et il s'empara d'une brosse qu'il leur présenta par un mouvement naïf.

---

1. On peut être surpris de cette fin de phrase, qui paraît contredire le procès fait antérieurement à « la ligne ».

« Le vieux lansquenet[1] se joue de nous, dit Poussin en revenant devant le prétendu tableau. Je ne vois là que des couleurs confusément amassées et contenues par une multitude de lignes bizarres qui forment une muraille de peinture[2].

— Nous nous trompons, voyez », reprit Porbus.

En s'approchant, ils aperçurent dans un coin de la toile le bout d'un pied nu qui sortait de ce chaos de couleurs, de tons, de nuances indécises, espèce de brouillard sans forme ; mais un pied délicieux, un pied vivant ! Ils restèrent pétrifiés d'admiration devant ce fragment échappé à une incroyable, à une lente et progressive destruction. Ce pied apparaissait là comme le torse de quelque Vénus en marbre de Paros[3] qui surgirait parmi les décombres d'une ville incendiée.

« Il y a une femme là-dessous », s'écria Porbus en faisant remarquer à Poussin les diverses couches de couleurs que le vieux peintre avait successivement superposées en croyant perfectionner sa peinture.

Les deux peintres se tournèrent spontanément vers Frenhofer, en commençant à s'expliquer, mais vaguement, l'extase dans laquelle il vivait.

« Il est de bonne foi, dit Porbus.

— Oui, mon ami, répondit le vieillard en se réveillant, il faut de la foi, de la foi dans l'art, et vivre pendant longtemps avec son œuvre pour produire une semblable

---

1. Mercenaire allemand (*Lands-Knecht*), servant autrefois en France.
2. Expression imagée pour exprimer la masse informe de peinture ; le « chaos de couleurs », comme il est dit quelques lignes plus loin, symbolise l'échec du peintre.
3. Île grecque, dont le marbre blanc était célèbre.

création. Quelques-unes de ces ombres m'ont coûté bien des travaux. Tenez, il y a là sur sa joue, au-dessous des yeux, une légère pénombre qui, si vous l'observez dans la nature, vous paraîtra presque intraduisible. Eh bien, croyez-vous que cet effet ne m'ait pas coûté des peines inouïes à reproduire ? Mais aussi, mon cher Porbus, regarde attentivement mon travail, et tu comprendras mieux ce que je te disais sur la manière de traiter le modelé[1] et les contours, regarde la lumière du sein, et vois comme, par une suite de touches et de *rehauts*[2] fortement empâtés, je suis parvenu à accrocher la véritable lumière et à la combiner avec la blancheur luisante des tons éclairés ; et comme, par un travail contraire, en effaçant les saillies et le grain de la pâte, j'ai pu, à force de caresser le contour de ma figure noyé dans la demi-teinte, ôter jusqu'à l'idée de dessin et de moyens artificiels, et lui donner l'aspect et la rondeur même de la nature. Approchez, vous verrez mieux ce travail. De loin, il disparaît. Tenez ? là il est, je crois, très remarquable. » Et du bout de sa brosse, il désignait aux deux peintres un pâté de couleur claire.

Porbus frappa sur l'épaule du vieillard en se tournant vers Poussin : « Savez-vous que nous voyons en lui un bien grand peintre ? dit-il.

— Il est encore plus poète que peintre[3], répondit gravement Poussin.

— Là, reprit Porbus en touchant la toile, finit notre art sur terre.

---

1. Terme de peinture ou de sculpture : relief des formes.
2. Retouches de peinture pour mettre en relief *(rehausser)* un détail du tableau.
3. Le mot *poète* est pris ici dans son sens étymologique de *créateur.*

— Et, de là, il va se perdre dans les cieux, dit Poussin.

— Combien de jouissances sur ce morceau de toile ! » s'écria Porbus.

Le vieillard absorbé ne les écoutait pas, et souriait à cette femme imaginaire.

« Mais, tôt ou tard, il s'apercevra qu'il n'y a rien sur sa toile, s'écria Poussin.

— Rien sur ma toile, dit Frenhofer en regardant tour à tour les deux peintres et son prétendu tableau.

— Qu'avez-vous fait ? » répondit Porbus à Poussin.

Le vieillard saisit avec force le bras du jeune homme et lui dit : « Tu ne vois rien, manant ! maheustre ! bélître ! bardache[1] ! Pourquoi donc es-tu monté ici ? — Mon bon Porbus, reprit-il en se tournant vers le peintre, est-ce que, vous aussi, vous vous joueriez de moi, répondez ? Je suis votre ami, dites, aurais-je donc gâté mon tableau ? »

Porbus, indécis, n'osa rien dire ; mais l'anxiété peinte sur la physionomie blanche du vieillard était si cruelle, qu'il montra la toile en disant : « Voyez ! »

Frenhofer contempla son tableau pendant un moment et chancela.

« Rien, rien ! Et avoir travaillé dix ans. »

Il s'assit et pleura. « Je suis donc un imbécile, un fou ! je n'ai donc ni talent, ni capacité, je ne suis plus qu'un homme riche qui, en marchant, ne fait que marcher[2] ! Je n'aurai donc rien produit ! » Il contempla sa toile à tra-

---

1. Mots d'injure équivalant à vaurien, coquin.
2. Peut-être souvenir de ce philosophe de l'Antiquité qui prouvait le mouvement en marchant.

vers ses larmes, il se releva tout à coup avec fierté, jeta sur les deux peintres un regard étincelant.

« Par le sang, par le corps, par la tête du Christ, vous êtes des jaloux qui voulez me faire croire qu'elle est gâtée pour me la voler ! Moi, je la vois ! cria-t-il, elle est merveilleusement belle. »

En ce moment, Poussin entendit les pleurs de Gillette, oubliée dans un coin.

« Qu'as-tu, mon ange ? lui demanda le peintre redevenu subitement amoureux.

— Tue-moi ! dit-elle. Je serais une infâme de t'aimer encore, car je te méprise. Tu es ma vie, et tu me fais horreur. Je crois que je te hais déjà. »

Pendant que[1] Poussin écoutait Gillette, Frenhofer recouvrait sa Catherine d'une serge verte, avec la sérieuse tranquillité d'un joaillier qui ferme ses tiroirs en se croyant en compagnie d'adroits larrons. Il jeta sur les deux peintres un regard profondément sournois, plein de mépris et de soupçon, les mit silencieusement à la porte de son atelier, avec une promptitude convulsive. Puis, il leur dit sur le seuil de son logis : « Adieu, mes petits amis. »

Cet adieu les glaça. Le lendemain, Porbus inquiet revint voir Frenhofer, et apprit qu'il était mort dans la nuit, après avoir brûlé ses toiles.

Paris, février 1832[2].

---

1. Fin ajoutée dans l'édition de 1837.
2. Date imaginaire, introduite par Balzac peut-être pour faire allusion à « la date de la naissance de son amour pour Madame Hanska » (René Guise).

LA LEÇON DE VIOLON
par
E.T.A. Hoffmann

J'étais à Berlin, très jeune, j'avais seize ans, et je me livrais à l'étude de mon art, du fond de l'âme, avec tout l'enthousiasme que la nature m'a départi. Le maître de chapelle Haak, mon digne et très rigoureux maître, se montrait de plus en plus satisfait de moi. Il vantait la netteté de mon coup d'archet, la pureté de mes intonations ; et bientôt il m'admit à jouer du violon à l'orchestre de l'Opéra et dans les concerts de la chambre du roi. Là j'entendais souvent Haak s'entretenir avec Duport[1], Ritter[2] et d'autres grands maîtres, des soirées musicales que donnait le baron de B***, et qu'il arrangeait avec tant d'aptitude et de goût que le roi ne dédaignait pas de venir quelquefois y prendre part. Ils citaient sans cesse les magnifiques compositions de vieux maîtres presque oubliés qu'on n'entendait que chez le baron, — qui possédait la plus rare collection de morceaux de musique anciens et nouveaux ; — et s'étendaient avec complaisance sur l'hospitalité splendide qui régnait dans la mai-

---

1. Sans doute Jean-Pierre Duport (1741-1818). Né à Paris, il s'installe à Berlin en 1773 où il restera jusqu'à sa mort.
2. Peter Ritter (1763-1846).

son du baron, sur la libéralité presque incroyable avec laquelle il traitait les artistes. Ils finissaient toujours par convenir d'un commun accord qu'on pouvait le nommer avec raison l'astre qui éclairait le monde musical du Nord.

Tous ces discours éveillaient ma curiosité ; elle s'augmentait encore bien davantage lorsqu'au milieu de leur entretien les maîtres se rapprochaient l'un de l'autre, et que, dans le bourdonnement mystérieux qui s'élevait entre eux, je distinguais le nom du baron, et que, par quelques mots qui m'arrivaient à la dérobée, je devinais qu'il était question d'études et de leçons musicales. Dans ces moments-là, je croyais surtout apercevoir un sourire caustique errer sur les lèvres de Duport ; et mon maître était surtout l'objet de toutes les plaisanteries dont il se défendait faiblement jusqu'au moment où, appuyant son violon sur son genou pour le mettre d'accord, il s'écriait en souriant : — Après tout, c'est un charmant homme !

Je n'y tins plus. Au risque de me faire éconduire un peu rudement, je priai le maître de chapelle de me présenter au baron, et de m'emmener lorsqu'il allait à ses concerts. Haak me toisa avec de grands yeux. Je voyais déjà l'orage gronder dans ses regards ; mais tout à coup sa gravité fit place à un singulier sourire. — Bon ! dit-il. Peut-être as-tu raison. Il y a de bonnes choses à apprendre du baron. Je lui parlerai de toi, et je pense qu'il consentira à te recevoir ; car il aime assez à recevoir les jeunes artistes. Quelques jours après, je venais de jouer avec Haak quelques concertos très difficiles ; il me prit mon violon des mains, et me dit : — Allons, Carl ! c'est ce soir qu'il faut mettre ton habit des dimanches et des bas de soie. Viens me trouver : nous irons

ensemble chez le baron. Il s'y trouvera peu de monde,
et c'est une bonne occasion pour te présenter. Le cœur
me battait de joie ; car j'espérais, sans trop savoir pourquoi, apprendre là quelque chose d'inouï, d'extraordinaire. Nous allâmes. Le baron, un homme de moyenne
taille, passablement vieux, en habit à la française brodé
de toutes couleurs, vint à nous dès que nous entrâmes
dans le salon, et secoua cordialement la main de mon
maître. Jamais je n'avais ressenti autant de respect véritable, éprouvé une impression plus favorable à la vue
d'un homme de distinction. On lisait dans les traits du
baron une pleine expression de bonhomie et de bonté,
tandis que dans ses yeux brillait ce feu sombre qui trahit
toujours l'artiste pénétré de son art. Toute ma timidité
de jeune homme disparut en un instant. — Comment
vous va, mon bon Haak ? avez-vous bien travaillé mon
concerto ? dit le baron d'une belle voix sonore. — Eh
bien ! nous verrons demain ! — Ah ! voilà sans doute le
jeune homme, le brave petit virtuose dont vous m'avez
parlé ?

Je baissai les yeux avec honte ; je sentais mes joues
rougir et brûler. Haak prononça mon nom, fit l'éloge de
mes dispositions, et parla de mes progrès rapides. —
Ainsi, dit le baron en se tournant vers moi, c'est le violon que tu as choisi pour ton instrument, mon garçon ?
Mais as-tu bien pensé que le violon est le plus difficile
de tous les instruments qui aient jamais été inventés ?
Sais-tu que cet instrument cache, sous sa simplicité presque misérable, les plus voluptueux trésors de tons que
la nature ait produits ; que ces cordes et ce bois sont un
tout merveilleux qui ne se révèle qu'à un petit nombre
d'hommes élus du ciel ? Sais-tu certainement, ton esprit

83

te dit-il avec fermeté, que tu pénétreras au fond de ce mystère ? D'autres que toi, et en grand nombre, ont cru à leur vocation, et sont restés toute leur vie de pitoyables racleurs. Je ne voudrais pas te voir augmenter le nombre de ces malheureux, mon fils. — Bon ! tu vas me jouer quelque chose ; je te dirai où tu en es, et tu suivras mon conseil. Il t'arrivera peut-être ce qui est arrivé à Carl Stamitz[1], qui rêvait des miracles qu'il devait faire un jour sur son violon : je lui ouvris l'intelligence, et vite, vite il jeta son violon sous le poêle, prit la basse, et fit bien. Sur cet instrument-là il pouvait étendre à plaisir ses grands doigts pattus, et il joua passablement. Bon ! — Me voici prêt à t'entendre, mon garçon.

Je restai confondu de ce singulier discours. Les paroles du baron produisirent sur moi une impression profonde, et j'éprouvai un découragement affreux en songeant que j'avais entrepris une tâche pour laquelle je n'avais peut-être pas été créé. On se disposait à jouer les trois nouveaux quartetti de Haydn[2], qui étaient alors dans toute leur nouveauté. Mon maître tira son violon de sa boîte, mais à peine eut-il touché les cordes de l'instrument pour le mettre d'accord, que le baron se boucha les oreilles avec ses deux mains, et s'écria comme hors de lui : — Haak, Haak ! je vous en prie, pour l'amour de Dieu, comment pouvez-vous me gâter tout votre jeu avec ces misérables accords criards ! Or le maître de chapelle avait un des plus magnifiques et des plus merveilleux violons que j'eusse jamais vus et entendus, un

---

1. Violoniste, gambiste (violoncelliste) et compositeur allemand (1745-1801).

2. Très célèbre compositeur autrichien (1732-1809). Souvent appelé le « père de la symphonie ».

véritable et authentique Antonio Stradivarius ; et rien ne l'irritait plus que de voir quelqu'un se refuser à rendre les honneurs convenables à son instrument favori. Aussi ne fus-je pas peu surpris en le voyant remettre tranquillement le violon dans la boîte. Il savait sans doute ce qui allait arriver, car à peine eut-il retiré la clef de la boîte [1], que le baron, qui venait de sortir du salon, reparut apportant avec précaution dans ses bras, comme un nouveauné, une longue boîte recouverte de velours rouge et ornée de galons d'or. — Je veux vous faire un honneur, mon cher Haak ! dit-il. Vous vous servirez aujourd'hui du plus beau et du plus ancien de mes violons. C'est un véritable Gramulo [2], et auprès de ce vieux maître, son élève Stradivarius [2] n'est qu'un apprenti. Tartini ne voulait jamais jouer sur d'autres violons que sur des Gramulo. Recueillez-vous bien, afin que mon Gramulo consente à vous ouvrir tous ses trésors. Le baron ouvrit la boîte, et j'aperçus un instrument dont la forme annonçait une haute antiquité. Tout auprès gisait l'archet le plus singulier du monde, qui semblait, par sa courbure exagérée, plutôt destiné à lancer des flèches qu'à arracher les sons des cordes. Le baron tira l'instrument de son coffre avec les précautions les plus solennelles, et le présenta au maître de chapelle, qui le reçut avec non moins de cérémonie. — Pour l'archet, dit le baron en souriant et en frappant légèrement sur l'épaule de mon maître, pour l'archet, je ne vous le remets pas ; car vous

---

1. La boîte à violon est fermée avec une clef, par précaution. Haak, après avoir replacé le précieux instrument dans son étui, referme celui-ci à clef et met sans doute la clef dans sa poche.
2. Célèbres luthiers italiens.

ne vous entendez pas à le conduire ; aussi de votre vie ne parviendrez-vous à la perfection véritable !

Cet archet, dit le baron en l'élevant et le contemplant d'un œil brillant d'enthousiasme, cet archet ne pouvait servir qu'au grand et immortel Tartini[1] ; et, après lui, il n'est sur toute l'étendue de la terre que deux de ses écoliers qui aient été assez heureux pour s'approprier le jeu riche, pénétrant et moelleux qu'on n'obtient qu'avec un tel archet. L'un est Nardini. C'est maintenant un vieillard de soixante-dix ans, qui n'a plus de puissance en musique qu'au fond de son âme. L'autre, vous le connaissez déjà, messieurs ; c'est moi. Je suis donc le seul, l'unique en qui survit l'art de jouer du violon ; et je n'épargne pas mon zèle et mes efforts pour propager cet art, dont Tartini fut le créateur. — Mais ! — Commençons, messieurs ! Les quartetti de Haydn furent alors joués, comme on le pense, avec une perfection telle que l'exécution ne laissa rien à désirer. Le baron était là, assis, les yeux fermés et se dandinant sur son siège. Tout à coup, il se leva, s'approcha des exécutants, jeta les yeux sur la partition en fronçant les sourcils, puis fit un léger pas en arrière, se recula tout doucement jusqu'à son fauteuil, s'y replaça, laissa tomber sa tête sur ses mains, souffla, gémit et gronda sourdement. — Halte ! s'écriat-il tout à coup à un passage en adagio, riche de chant et de mélodie ; arrêtez ! Par les dieux, c'est là du chant de Tartini tout pur ; mais vous ne l'avez pas bien compris. Encore une fois, je vous en prie !

Et les maîtres reprirent en souriant et à grands coups d'archet ce passage, et le baron gémit et pleura comme

---

1. Violoniste et compositeur italien (1692-1770).

un enfant. Lorsque les quartetti furent achevés, le baron s'écria : — Un homme divin, cet Haydn ! Il sait aller à l'âme ; mais quant à écrire pour le violon, il ne s'en doute guère. Peut-être aussi n'y a-t-il jamais songé ; car il eût alors écrit dans la seule véritable manière, comme Tartini, et vous ne pourriez pas le jouer !

Ce fut mon tour de jouer quelques variations que Haak avait placées devant moi. Le baron se tint tout près de moi, le visage sur mes notes. On imagine la crainte dont je fus saisi en commençant, un si rude critique à mes côtés. Mais bientôt un vigoureux allégro m'entraîna tout entier. J'oubliai le baron, et je pus me mouvoir en liberté dans toute l'étendue du cercle de mes facultés, dont je disposai librement. Lorsque j'eus fini, le baron me frappa sur l'épaule et dit en souriant : — Tu peux t'en tenir au violon, mon fils ; mais tu n'entends encore rien au coup d'archet et aux démanchés [1], ce qui provient sans doute de ce que tu as manqué jusqu'à ce jour d'un bon maître. On alla se mettre à table ; elle était dressée dans la salle voisine ; la profusion qui y régnait allait jusqu'à la prodigalité. Les maîtres firent bravement honneur au repas. La conversation, qui devenait de plus en plus animée, roulait exclusivement sur la musique. Le baron étala des trésors de connaissances précieuses ; son jugement, vif et pénétrant, montrait non pas seulement un amateur distingué, mais un artiste achevé, un virtuose plein de pensée et de goût. Je fus surtout frappé des portraits des violonistes qu'il nous peignait tour à tour. J'en veux rassembler quelques souvenirs. — Copelli, dit

---

1. Action qui consiste à changer la position normale de la main sur le manche d'un instrument à cordes pour faire atteindre à celle-ci des positions plus élevées.

le baron, ouvrit le premier la route. Ses compositions ne peuvent être jouées qu'à la manière de Tartini ; et il est facile de prouver qu'il a reconnu toute la grandeur du rôle de son instrument. Pugnani [1] est un violon passable : il a du ton et beaucoup d'intelligence ; mais son trait est trop mou dans certains appogiamenti [2]. Que ne m'avait-on pas dit de Gemianini [3] ! Lorsque je l'entendis pour la dernière fois, à Paris, il y a trente ans, il jouait comme un somnambule qui gesticule en rêvant ; et c'était aussi un rêve pénible que de l'entendre : ce n'était qu'un *tempo rubato* [4] sans style et sans terme. Malédiction sur cet éternel *tempo rubato* ! il perd les meilleurs violons. Je lui jouai mes sonates ; il vit son erreur, et voulut prendre de mes leçons, ce que je lui accordai volontiers : mais l'enfant était déjà trop enfoncé dans sa méthode ; il avait trop vieilli là-dessus : il était dans sa soixante-onzième année. — Que Dieu pardonne à Giardini [5] et ne lui fasse pas payer dans l'éternité ! mais c'est lui qui, le premier, a mangé le fruit de l'arbre de la science, et fait, de tous les violons qui l'ont suivi, de coupables pécheurs ; c'est le premier de tous les extravagants. Il ne songe qu'à sa main gauche et aux doigts sautilleurs, et il ne se doute pas le moins du monde que l'âme du chant gît dans la main droite, et que, de chacune de ses pulsations s'échappent les battements du cœur tels qu'ils

---

1. Violoniste et compositeur italien (1731-1798).
2. Ornements de la mélodie, consistant à faire entendre, avant la note écrite, une petite note jointe à celle-ci.
3. Violoniste et compositeur italien (1687-1762).
4. Liberté accordée à l'instrumentiste de ne pas observer rigoureusement la mesure.
5. Violoniste et compositeur italien (1718-1796).

retentissent dans notre sein. A chacun de ces extravagants je souhaiterais un Jomelli[1], debout à leur côté, qui
les réveillât de leur cauchemar par un vigoureux soufflet,
comme le brave Jomelli le fit en effet lorsque Giardini
gâta en sa présence un morceau magnifique. — Quant à
Lulli[2], c'est un fou plus complet encore ; le drôle est un
véritable danseur de corde. Il ne saurait jouer un adagio,
et tout son talent consiste dans les gambades ridicules
qui lui valent l'admiration des ignorants. Je le dis haute-
ment : avec moi et avec Nardini s'éteindra l'art de jouer
du violon. Le jeune Viotti[3] est un excellent artiste, plein
de bonnes dispositions. Il me doit tout ce qu'il sait ; car
c'est un de mes élèves les plus assidus. Mais puis-je tout
faire ? Point de persévérance, point de patience ! Il s'est
échappé de mon école. J'espère mieux former Kreutzer[4] : il a profité de mes leçons, et il les mettra en pratique à son retour à Paris. Mon concerto que vous étudiez
avec moi maintenant, Haak, il ne le joue pas trop mal,
en vérité ; mais il lui manque toujours un poignet pour
se servir de mon archet. Pour Giarnowicki, je ne veux
pas qu'il passe le seuil de ma porte ; c'est un fat et un
ignorant qui se permet de mal parler de Tartini, le maître
des maîtres, et qui se moque de mes leçons. Il y a aussi
ce petit garçon, ce Rode[5], qui promet de s'instruire en
m'écoutant, et qui pourra bien devenir un jour maître de

1. Compositeur italien (1714-1774).
2. Il ne s'agit sans doute pas de Jean-Baptiste Lully (1632-1687).
3. Violoniste et compositeur italien (1755-1824).
4. Rodolphe Kreutzer (1766-1831), violoniste et compositeur français. En 1805, Beethoven lui dédia une célèbre sonate, dite *Sonate à
Kreutzer*.
5. Sans doute Pierre Rode (1774-1830), violoniste et compositeur
français.

son archet. — Il est de ton âge, mon garçon, dit le baron
en se tournant vers moi, mais plus grave, d'une nature
plus réfléchie. — Toi, tu me sembles un peu étourdi.
Bon ! cela se passe. — Pour vous, mon cher Haak, je
fonde maintenant de grandes espérances sur vous !
Depuis que je vous dirige, vous êtes devenu un tout autre
homme. Continuez à persévérer dans votre zèle, et
n'épargnez pas une heure. Vous savez que je ne badine
pas là-dessus.

Je demeurai frappé de surprise de tout ce que j'avais
entendu. J'eus la plus grande peine à attendre le moment
d'interroger mon maître, et de lui demander s'il était vrai
que le baron fût réellement le premier violon de l'époque, et si véritablement lui, mon maître, prenait de ses
leçons ! Haak me répondit que, sans nul doute, il se faisait un devoir de prendre des leçons du baron, et que je
ferais fort bien d'aller le trouver un matin, et de le sup-
plier de vouloir bien m'honorer de ses conseils. A toutes
mes questions sur le talent du baron, le maître de chapelle ne répondit rien et resta impénétrable, répétant seulement que je me trouverais fort bien de suivre son
exemple. Au milieu de tous ces propos, le sourire singulier qui se montrait sans cesse sur les lèvres de Haak ne
m'échappait pas. Et lorsque je m'en allai bien humble-
ment présenter mes désirs au baron, lorsque je lui vins
déclarer que l'amour le plus ardent, l'enthousiasme le
plus vrai pour mon art m'animaient, son regard, d'abord
fixe et surpris, prit insensiblement l'expression d'une
douce bienveillance. — Mon garçon, mon garçon, me
dit-il, en t'adressant à moi, à moi, l'unique joueur de
violon qui ait survécu aux grands maîtres, tu prouves
que tu portes en toi un véritable cœur d'artiste. Je vou-

drais bien t'aider dans ta marche et te soutenir ; mais le temps, le temps, où prendre le temps ? — Ton maître Haak me donne beaucoup à faire, et puis j'ai maintenant ce jeune homme, ce Durand qui veut se faire entendre en public, et qui s'est bien aperçu que cela ne pouvait avoir lieu avant que d'avoir fait un cours sous ma direction. — Voyons ! — Attends, attends ! — Entre le déjeuner et le dîner, — ou bien pendant le déjeuner. — Oui, j'ai alors une heure qui me reste. Mon garçon, viens me trouver ponctuellement tous les jours, à midi : je violonnerai avec toi jusqu'à une heure ; ensuite vient Durand !

Vous pouvez imaginer que dès le lendemain, à l'heure dite, j'accourus chez le baron, le cœur gros d'espoir. Il ne me permit pas de tirer un seul son du violon que j'avais apporté, et me mit dans les mains un gothique instrument d'Antonio Amati[1]. Jamais je ne m'étais servi d'un semblable instrument. Le ton céleste qui s'élevait des cordes me ravit. Je me perdis en passages hardis, je laissai le torrent harmonique s'élever en bouillonnant comme une vague furieuse, et retomber légèrement en cascade murmurante. Je crois que je me surpassai, que je jouai mieux dans ce premier moment, sous l'influence de cette situation si nouvelle, que dans tout le reste de ma vie. Le baron secoua la tête d'un air mécontent, et me dit enfin, lorsque j'eus terminé le morceau : — Mon garçon, il faut oublier tout cela. D'abord, tu tiens ton archet d'une façon misérable ! Il me montra la manière dont il fallait tenir son archet, selon Tartini. Je crus d'abord que je ne pourrais pas produire un son de cette

---

1. Célèbre luthier italien (1596-1684).

manière ; mais, à mon grand étonnement, à peine eus-je repris tous les passages que je venais d'exécuter, que je m'aperçus de l'extrême facilité et des avantages que me donnait cette méthode. — Allons ! dit le baron, nous allons commencer la leçon. File un son, mon garçon, et soutiens-le le plus longtemps que tu pourras. Ménage l'archet, ménage l'archet : l'archet est pour le violon ce qu'est l'haleine pour le chanteur.

Je fis ce qu'il me disait, et je ne pus m'empêcher de me réjouir en voyant que je réussissais à produire un ton vigoureux, que je menai du *pianissimo* au *fortissimo*, et que je fis lentement descendre, à longs traits d'archet, par une belle dégradation. — Vois-tu bien, mon fils, s'écria le baron, tu peux exécuter de beaux passages, faire des bonds à la mode, des traits sautillants et des démanchés ; mais tu ne saurais soutenir le ton comme il convient. Allons, je vais te montrer ce qu'on peut faire sortir d'un violon.

Il me prit l'instrument des mains, posa l'archet tout près du chevalet. — Non. Ici les termes me manquent, en vérité, pour exprimer ce qui en résulta ! L'archet tremblotant fouetta la corde, la fit siffler, geindre, gémir et miauler d'une façon à crisper les nerfs les moins délicats : on eût dit d'une vieille femme, le nez comprimé par des lunettes, et s'efforçant de retrouver l'air d'une vieille chanson. En même temps, ses regards se portaient au ciel avec une expression de ravissement divin, et lorsqu'il cessa enfin de promener le maudit archet sur les cordes, ses yeux brillèrent de plaisir, et il s'écria avec une émotion profonde : — Voilà un ton ! voilà ce qu'on appelle filer un son !

Jamais je ne m'étais trouvé dans une situation sembla-

ble. Le fou rire qui me prenait à la gorge s'évanouissait
à la vue du vénérable vieillard dont les traits étaient illu-
minés par l'enthousiasme ; et puis toute cette scène me
faisait l'effet d'une apparition diabolique, si bien que le
cœur me battait violemment, et que j'étais hors d'état de
proférer une parole. — N'est-ce pas, mon fils, dit le
baron, que cela t'a pénétré jusqu'au fond de l'âme ? Tu
n'aurais jamais pu soupçonner qu'il y eût une si grande
puissance dans cette pauvre petite affaire que voilà, avec
ses quatre maigres cordes. Allons ! approche, mon garçon, et bois un coup pour te remettre.

Il me versa un verre de vin de Madère, qu'il me fallut
vider, en l'accompagnant d'un biscuit qu'il prit sur la
table. Une heure sonna. — C'est assez pour aujourd'hui,
dit le baron. Va, mon fils, et reviens bientôt. — Tiens,
prends ceci.

Le baron me remit une papillote[1], dans laquelle je
trouvai un beau ducat hollandais cordonné[2]. Dans l'ex-
cès de ma surprise, je courus trouver mon maître, et je
lui racontai tout ce qui s'était passé. Il se mit à rire aux
éclats. — Tu vois maintenant comment les choses se
passent avec notre baron et ses leçons, me dit-il. Il te
traite en commençant, et ne te donne qu'un ducat par
leçon. Quand tu auras fait des progrès, selon lui, il aug-
mentera tes honoraires. Moi, je reçois maintenant un
louis[2], et Durand a, je crois, deux ducats. Je ne pus
m'empêcher de lui remontrer qu'il n'était pas bien de
mystifier ainsi ce bon vieux gentilhomme, et de lui tirer
ses ducats de la sorte. — Sache donc, lui dit le maître,

---

1. Sans doute une sorte d'enveloppe.
2. Pièce d'or. Cordonné est un terme employé pour une monnaie
d'or ou d'argent dont les bords du flanc ont été relevés.

que tout le bonheur du baron consiste à donner ses leçons ; que si moi et d'autres maîtres nous repoussions ses conseils, il nous décrierait dans le monde musical, où il passe pour un juge infaillible ; que d'ailleurs, exécution à part, c'est un homme qui entend parfaitement la théorie de l'art, et dont les réflexions sont extrêmement judicieuses. Visite-le donc assidûment, et, sans t'arrêter aux folies qu'il débite, tâche de profiter des éclairs de sens et de raison qu'il montre chaque fois qu'il parle de la philosophie de l'art : tu t'en trouveras bien.

Je suivis le conseil de mon maître. Plus d'une fois, j'eus peine à étouffer un éclat de rire qui me prenait lorsque le baron s'emparait de l'archet et le promenait d'une manière extravagante sur le dos du violon, en prétendant qu'il jouait le plus admirable solo de Tartini, et qu'il était le seul homme du monde en état d'exécuter pareille musique ; mais bientôt, lorsqu'il déposait l'instrument et qu'il se livrait à des réflexions qui m'enrichissaient de connaissances profondes, je sentais au gonflement de mon sein, à l'enthousiasme qui m'animait pour l'art magnifique dont il décrivait si bien les merveilles, que mon cœur lui devait une reconnaissance profonde. Puis, lorsque je jouais dans ses concerts et que j'obtenais quelques applaudissements, le baron souriait avec orgueil et regardait autour de lui, en disant :

— C'est à moi que ce jeune homme doit son talent ; à moi, l'élève du grand Tartini !

Et, à mon grand profit, je continuai de prendre ses leçons — et ses beaux ducats.

Table

Imprimé en France sur Presse Offset par

BRODARD & TAUPIN

GROUPE CPI

La Flèche (Sarthe).
N° d'imprimeur : 13547– Dépôt légal Édit. 24267-08/2002
LIBRAIRIE GÉNÉRALE FRANÇAISE - 43, quai de Grenelle - 75015 Paris.

ISBN : 2 - 253 -13808 - 8   31/3808/8